●山陰研究ブックレット10

訳注

出雲名勝摘要

―漢詩・和歌・俳諧による明治出雲旅行案内―

要木純一

著

『出雲名勝摘要』表紙

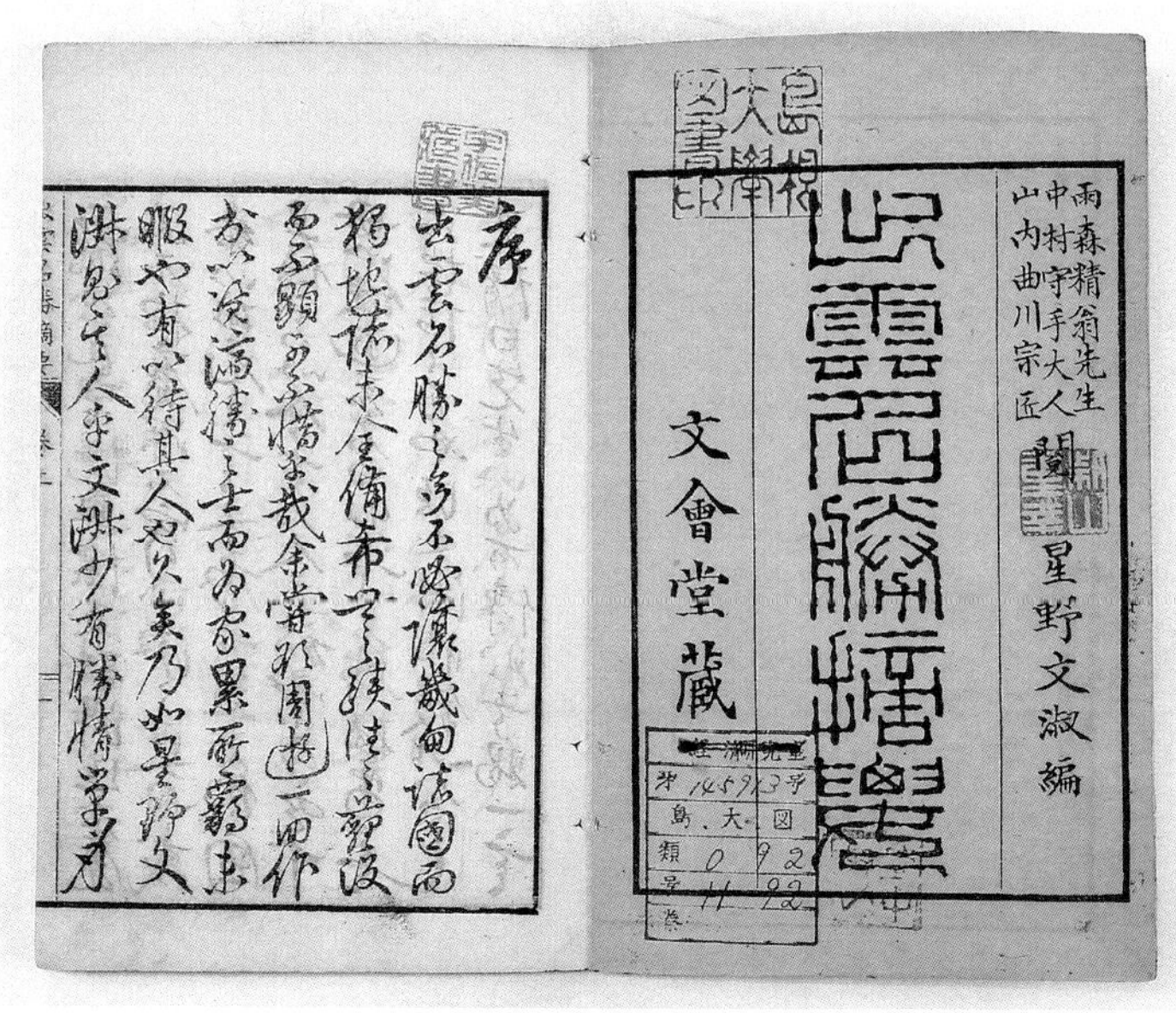

『出雲名勝摘要』表紙裏

出雲名勝摘要地図
①千鳥城（松江城）
②大橋鱸網（松江大橋）
③立久恵
④小勝間松
⑤宍道湖
⑥御井（神社）
⑦陰陽石（男島）
⑧猪石
⑨月山城墟（富田城跡）
⑩犬石
⑪潜戸（加賀潜戸）
⑫鬼の舌震
⑬出雲赤壁
⑭佐々木高綱墓（善光寺）
⑮龍頭瀧

目次

はじめに

私が島根大学に赴任したとき、大学図書館の地域資料室に貴重書を収めたガラスケースがあって、そこにこの『出雲名勝摘要』が置いてあった。その時は気にとめなかったが、十数年後、法文学部山陰研究センターのプロジェクトに参加することとなり、明治初期の出雲地域の漢詩を読みすすめるうちに、この書の面白さと重要性にはじめて気がついたのであった。未知の世界の勉強を兼ねて、この十年間、中断しながら、大学の紀要に、この書の翻刻や訳注を発表し続けた。今回、それらをまとめる機会をいただいた。多くの方に読んでいただくために、注を大幅に削り、できるだけ簡明になるようつとめた。常用漢字を用い、原文にはない、句読点、訓読書き下し文、現代仮名遣いによるふりがな等を付け加えた。特に人名の読み方等は、不明のものが多く、暫定的なものであることをおことわりする。

『出雲名勝摘要』とは

明治十年代、維新後の混乱も収まり、出版の発達と相まって、出雲文壇は、江戸時代にまさる活況を呈するに至る。この気運の中で、『出雲名勝摘要』（明治十四年　一八八一刊）は生まれた。本書は、編者の星野文淑が、出雲地方の名勝を十五地点取り上げて、由緒を説き、その地を詠んだ漢詩、和歌、誹諧を配したものである（多くは同時代の作品。江戸時代に溯るものもある）。更に、当時の出雲漢詩壇、歌壇、俳壇のそれぞれの巨頭、雨森精翁、中村守手、山内曲川の校閲を仰いでいる。彼らは単に名前を貸しただけではなく、編集段階で作品選択等の指導に相当関わったのではないかと、私は想像している。本書は、出雲の文学史のみならず、神話、伝承、観光史、風俗史の資料として、貴重である。妹尾春江による各名勝の挿絵も個性的でおもしろい。ところが、これまでまれにしか言及されるにすぎず、原文はあまり読まれていないようである。

編者　星野文淑について

編者の星野文淑*について、私の知るところは少ない。彼の師、内田鱸香撰の、星野成章碑銘等によると、安政四年（一八五七）～明治二十年（一八八七）の人。通名の文淑には「ふみとし」「ふみよし」の読みがあるようだが、本訳注では、漢学者らしい音読みの「ぶんしゅ

＊星野文淑　『島根県歴史人物事典』星野文淑の項（坪内珠美氏担当）参照。たまたま、『松江新聞』明治十三年十一月十七日版に星野に関する記事を見つけたので以下に整理して引用する。

○西茶町の星野文淑氏が発企にて、相談会と名づけ、毎月一回づつ会集して、専ら商業教育のことを懇談し、傍ら親睦を厚うするの目的にて、同志の誘導方を同町戸長伊達某に依頼せし処、某も大いに之を賛成し、早速この事に着手されし由、尤も先づ同町茶町苧町末次町片原町の五ヶ町と限り置き、漸次盛大なるに至れば、随いてその区域を拡むるの見込なりと。

文芸、教育のみならず、地域活動等実際面においても、頼りにされていた人物であったらしい。

く」を採用した。雅号を鱸江という。松江の医師、文瑞の子。広島県師範学校を出た後、帰郷して小学校教師をつとめる。『出雲名勝摘要』出版の前年、明治十三年には、郷土の歴史をまとめた『出雲史略』を出版。内田鱸香（一八二一〜一九〇一）の還暦記念詩文集『永錫集』（明治十五年　一八八二刊）の共同編集もつとめている。当時の出雲地方において、文化界、教育界の一大コーディネーターであったろうことがうかがえる。

『出雲名勝摘要』は、本文の最初に「出雲名勝摘要巻之上」、版心にも「巻上」とあることから、「巻下」続刊の予定があったようだが、管見の及ぶ限りではそれらしきものは見つからない。おそらく、星野文淑の体調悪化等に伴い、続刊は断念されたのではないか。星野は、数え三十一歳で若くして没した。その墓は木次にあるというが、私は未だ訪れていない。

『出雲名勝摘要』訳注

表紙・表紙裏・序・凡例　名勝は人を待ちて顕わる

出雲名勝摘要

【解説】表紙に貼付された題簽である。島根大学附属図書館所蔵本は、黄色表紙で、縦一八cm×横一二cmの大きさ。本文は三二丁。原文にはふりがなはない。本書のふりがなは、私が付け加えたものである。

雨森　精翁　先生
中村　守手　大人*　閲*　星野　文淑　編
山内　曲川　宗匠*

出雲名勝摘要
文会堂　蔵*

【解説】表紙裏に記された書誌である。

雨森精翁（一八二二〜一八八二）。通称謙三郎。別号は、本書に出てくるものでは、老雨、有所於帰村荘主人。漢学者、もと松江藩儒。この時期は平田に隠居、後進の指導をしていた。

〔表紙裏〕

*大人　師に対する尊称。うし、たいじん。和歌の師に対してよく用いる。

*宗匠　文芸・技芸の道の師匠。俳諧の師に対して用いる。

*閲　校閲のみではなく、実際は作品の選択に深く関わっていたとみてよいだろう。

*蔵　蔵版（板）。版木を所蔵していること。出版者を指す。

中村守手（一八二〇～一八八二）。国学者、歌人。国学者、出雲大社神官の中村守臣の養子。もと松江藩修道館教授。この時期は熊野大社宮司。

山内曲川（一八一七～一九〇三）。松江生まれの俳人。諸国遊歴後、松江に帰り、茶道、俳諧をひろめた。

文会堂は、園山文会堂。園山喜三右衛門（一七九六～一八七〇）の創業（一八一一）。この時期はその二世が当主であっただろう。

〔序〕

＊畿甸　都の近くの地域。日本では近畿地方。

＊地誌　地方誌のこと。地志に同じ。ここでは、『京名所図会』や『江戸名所図会』のような、図つき一般観光者向け案内のようなものを想定するか。

＊希世　世にまれな。

＊蘿没　埋没に同じ。才能が発揮されずに隠れてあらわれないこと。

＊周遊　あまねく旅行すること。

＊済勝之士　山水を愛し、探検に耐えられる頑健な体を持った人。

序

出雲名勝之多、不必譲畿甸*諸国、而独地誌*未全備、希世*之蹟往々蘿没*而不顕、可不惜乎哉。余嘗欲周遊*一回、作書以資済勝之士*、而為家累*所羈、未暇也。有以待其人也、久矣。乃如星野文淑、則其人乎。文淑少有勝情*、単身*飄然*。凡霊境*奥壌足能得造者、靡幽不探、靡深不窮*。必徴之史冊、或参以故老之言、又教善画者作之図、且係焉以今古名人文詩、彙為若干冊、以便遊者、名曰、出雲名勝摘要。蓋亦地誌之亜也。頃文淑将鋟*以公之、来請曰、先生以為可伝、則幸賜一言。余乃謂曰、善哉挙也。名勝待人而彰、人亦因名勝而伝。二者未始不相遇而済美*也。今夫趙氏之璧*、天下之至宝也。非和氏不能成其為宝。而和氏之名亦以

*家累　家族。足手まといのニュアンスが強い。
*勝情　「済勝之士」のように、山水を愛する高邁な趣味。
*単身　ひとりで。妻子に煩わされぬ独身というニュアンスがある。
*飄然　何の目的もなくあちこちぶらぶらする様。
*霊境　寺社が建てられるような、宗教性を帯びた荘厳な景勝地。
*奥壌　奥深い辺鄙な田舎。
*鋟　版木に刻むこと。出版、公刊。
*済美　美徳を成就すること。『春秋左伝』文公十八年にある語。
*趙氏之璧　戦国時代、楚の卞和が山中で得た宝玉。厲王・武王に献じたが真価を認められず、かえって足を切られる罰を受けた。最後に文王に献じてはじめて宝玉であることがわかった。後に趙王の手に渡った。和氏の璧。連城の璧。
*昬嫁　「昬」は「婚」に同じ。雨森精翁には、三女があり、長女は結婚適齢期であった。
*韈韄之遊　「韈」は「鞋」に同じで靴のこ

璧遂聞天下。文淑為名勝之和氏也、多矣。其得名、亦将在此乎。盍速刻之。異日幸得畢昬嫁*作韈韄之遊*乎、請以此書為南針*。雖然、我老矣。

明治十三年十一月

有所於帰村荘主人*撰

【訓読】序。出雲名勝の多きは、必ずしも畿甸諸国に譲らざるも、独り地誌未だ全ては備わらず、希世の蹟往々にして薶没して顕れず、惜しまざる可けん乎哉。余嘗て周遊一回し、書を作りて以て済勝の士に資せんことを欲するも、家累の羈する所と為り、未だ暇あらざる也。以て其の人を待つ有る也、久し。乃ち星野文淑の如きは、則ち其の人なる乎。文淑少くして勝情有り、単身飄然たり。凡そ霊境奥壌の足の能く造るを得る者は、幽として探らざるは靡く、深として窮めざるは靡し。必ず之を史冊に徴し、或いは参するに故老の言を以てし、又善く画く者をして之が図を作ら教め、且つ焉に係くるに今古名人の文詩を以てし、彙めて若干冊と為し、以て遊ぶ者に便ならしむ。名づけて出雲名勝摘要と曰う。蓋し亦た地誌の亜也。頃ろ文淑将に鋟みて以て之を公にせんとす。来りて請いて曰く、先生以て伝う可しと為さば、則ち幸いに一言を賜え、と。余乃ち謂いて曰く、善き哉、挙也。名勝は人を待ちて彰れ、人も亦た名勝に因りて伝わる。二者未だ始め

と。「韈」は靴下。わらじやたびをつけて長旅にでることだが、中国では用例がなく、出典や由来が不明。

＊南針　指南針。方位磁石。初心者へのガイドブック。

＊有所於帰村荘主人　雨森精翁晩年の号。韓愈・孟東野に与うる書「無所於帰」（帰るに所無し。乱によって帰り場所がない）を逆転して用いた。隠居して身を寄せることのできる安住の地を見つけたという気持ちか。

より相い遇うて美を済さずんばあらざる也。今夫れ趙氏の壁は、天下の至宝也。和氏に非ずんば其の宝為るを為す能わざる也。而して和氏の名も亦た壁を以て遂いに天下に聞ゆ。文淑の名勝の和氏為る也、多なり。其の名を得ることも、亦た将た此に在る乎。盍ぞ速やかに之を刻せざる。異日幸いに昏嫁を畢えて鞵韈の遊を作すを得ん乎、請う此の書を以て南針と為さん。然りと雖も、我老いたり、と。

明治十三年十一月　有所於帰村荘主人　撰

【大意】序。出雲に名勝が多いのは、おおさ近畿地方の諸国には劣らないのだが、ただ地誌（地方案内書）に完全なものがないために、世にまれな名所旧跡が往々にして埋没してしまって知られていない。何と残念なことであろうか。私は以前出雲を一周めぐって、案内書を物して、景勝愛好家の役に立てようと志したことがあるが、家族のあれやこれやの問題にかかずらわされて、その時間がなかった。私に代わってしかるべき人がこの任を担ってくれないか、長い間待望していたが、星野文淑君のような人こそまさに適任者であるといえようか。文淑君は若いときより、自然に対して優れた感性を持ち合わせ、独りだけで各地を放浪した。足でいける場所は、人目につかない地で探検しないところはなく、奥深い地のどこでも行き着かないということはなかった。必ず史料にあたり、故老の言い伝えを参考にした。さらに、絵のうまい人に絵を描かせ、過去現在の名高い人々の詩文を付け加え、何冊かに編集し、観光するものに便利なようにした。かくして、その書を『出雲名勝摘要』と名付けたのである。これはほぼ地誌といってもよいものであろう。文淑はこの書を印刷、公刊しようとして、私の所に頼みに来た。「先生はこの本が後世に伝えるべき価値があるとお思いでしょうか。もしそうお思いでしたら、序を書いて頂くとありがたいのですが」。私は、このときとばかりにいった。「今回の君のこの行動はすばらしい。名勝はしかるべき人が現れるのを待ってはじめて顕彰され、その人の名も名勝によって世に伝わるわけだ。両者が、巡り会って、はじめてお互いの美をお互いに完成させることができるのである。そのかみ、趙国の璧は至高の宝物であったが、発見して世に知らせた和氏がいなくては宝物となる運命が成就できなかった。そして、和氏の名もその璧でもって天下に喧伝されたのである。文淑君が出雲の名勝において、この和氏の役目を果たすことは多大なものがあった。文淑君が名声を得るのもこの書によることであろう。ぜひ早く出版なさい。私も、娘の結婚話が片付いたら、わらじやくつしたを用意して旅にでもでかけようか。そのときはこの本を道案内としよう。だが、残念なことにわたしも年を取って、老い先短いのだが。

明治十三年（一八八〇）十一月　有所於帰村荘主人しるす

【解説】出雲は、自然、人材ともに豊富であるのに、世に知られないことを残念に思っていた雨森精翁は、星野という人を得て、出雲の素晴らしさが顕彰されることを保証する。末句の「我老いたり」は、二年後、還暦の歳に死ぬことになる、自らの衰えを自覚するとともに、星野ら、青年の今後の活躍を願う気持ちがこめられる。

凡例*

一　本編ハ出雲国内ノ最モ著名ナル名所、古跡ヲ拾フモノナレトモ、未タ一二ノ漏脱ナキ能ハス。

一　詩文、和歌、誹諧*ハ、総テ人ノ古今ヲ問ハス抜萃*スト雖トモ、期ノ既ニ迫ルヲ以テ、亦未タ遺漏ノ憂ヲ免ル丶能ハス。

一　編中、毎題其由緒ヲ記シ、以テ看客*ニ便ニスレトモ、其或ハ幾里*町*ト曰ヒ、或ハ何丈*尺*ト曰ヒ、或ハ幾何間*ト曰フハ、皆是レ概算ニ出ツルモノニシテ、敢テ精算*ヲナスモノニアラサレハ、幸ニ之ヲ諒*セヨ。

明治*十四年一月　編者　誌

〔凡例〕

*凡例　版心には「例言」とあり。同義。

*誹諧　俳諧。日本では「誹」字を当てることが多い。

*抜萃　抜粋に同じ。重要なものを選ぶこと。

*看客　看官と同じく、芝居や講談の見物人。引いて読者の意味。

*里　日本の里。約三・九キロメートル。度量衡は時代・地方によって違うが、一八九一年にメートル法に換算して公式に定められた。本書成立時もそれほど変わりはないであろう。

＊町　長さの単位。約一〇九メートル。
＊丈　約三メートル。
＊尺　約三〇センチメートル。
＊間　約一・八メートル。
＊精算　精密に測定、計算すること。
＊諒　事情を理解する。

【大意】凡例
一。本書は出雲国内の非常に有名な名所、古跡を選んだものであるが、一二収録を漏らさざるを得なかった。
一。詩文、和歌、誹諧は全部、現在の人過去の人を問わず、その優れたものを選んだが、締切が迫っていたので、重要なものをいくつか残した不安がないわけではない。
一。本書では、一つの名勝の題目ごとに、その由緒を記し、読者の便に供した。しかし、何里、何町、何丈、何尺、何間というのは、皆概算によったもので、精密に計測することなどとてもできない。どうかご寛恕のほどをお願いしたい。

明治十四年（一八八一）一月編者しるす

【解説】慌ただしく、『摘要』が編纂された様子がわかる。若干の不備は免れないが、それでも当時の出雲の最高峰の作家と作品をまとめあげた、編集者としての力量は、並々ならぬものである。遺物や地形の計測については、ここにいうようにかなりいい加減である。以下の訳文では、原文の単位を換算せずにそのまま用いた。

第一勝　千鳥城（松江城）　荒城の春

出雲名勝摘要　巻之上
星野文淑　編

【解説】第一葉の題名、編者名。「巻之上」とあるのに注意。「下」が次いで、出版される予定であったことがわかる。

〔千鳥城由緒〕

＊亀田山　城山の古名。

＊松江殿町　現島根県松江市殿町城山。

＊島根郡　現松江市の、大橋川以北の大部分は島根郡に属していた。

＊堀尾吉晴　一五四三～一六一一。安土桃山、江戸初期の、武将、大名。信長、秀吉に仕えるが、一六〇〇年、関ヶ原の戦いで家康に味方し、同年、息子の忠氏が出雲国月山富田城に任ぜられたのに伴って出雲に赴く。忠氏早世により、孫の忠晴を補佐。一六〇七年、松江城の建設を開始するが、一六一一年、完成の年に没。忠晴は、一六三三年に跡継ぎのないまま、没した。

＊月山城　第九勝月山参照。

＊要害　重要な防御地点。味方にとって重要で敵にとって害となることから。

＊巨擘　親指。転じて多くの中から特に目立つもの。

＊**京極氏**　忠高（一五九三〜一六三七）。若狭国小浜藩の藩主であったが、一六三四年松江に転封。嗣子のないまま一六三七年に没す。

＊**松平氏**　結城秀康の子（徳川家康の孫）の松平直政（一六〇一〜一六六六）は一六三八年、信濃松本藩より松江に転封。以後松平氏が松江城主となる。十代松平定安に至り、廃藩置県（明治四年）で知藩事を解任、松江城を去る。

＊**垣壁**　城の石垣。

＊**堡塞**　とりで。三の丸、物見台等の城の附属建築物をさすか。

＊**牙城**　本来は、主将が本拠地とする都市。主将が牙旗（尖端を象牙で飾った旗）を掲げるのでかくいう。ここでは、城の中で主将のいる所。本丸。更にその中心に建てられる天守閣をさす。きばのようにそそり立っているという気持ちもあろう。

＊**屹立**　山のように垂直にそびえ立つこと。

＊**寒鴉**　寒々としてこごえそうになっているカラス。

＊**唖唖**　鳥の鳴き声。カラスの場合が多い。

○千鳥城

一名ヲ亀田山＊城ト曰フ。松江殿町＊（島根郡＊）ニアリ。慶長十二年、堀尾吉晴＊月山城＊ヲ移ツシ、名クルニ此名ヲ以テス。山ヲ盾トシ渠ヲ幕トシテ、其要害＊ハ山陰ノ巨擘＊タリ。後チ京極氏＊、松平氏＊ヲ経テ、二百六十餘年（明治四年）ニ至タリ、藩主去ル。爾来修繕ヲ加フルモノナシ。垣壁＊ハ為メニ壊レ、堡塞＊ハ為メニ崩レ、今ハ唯牙城＊ノ松間ニ屹立＊シテ、寒鴉＊ノ唖々＊ト晩靄ニ飛テ之ヲ守ルノミ。

【大意】別名亀田山城。松江殿町（島根郡）にある。慶長十二年（一六〇七）、堀尾吉晴が月山城をこの地に移転し、この名をつけた。山を盾に、堀を幕のようにして、城の防御力は、山陰随一である。その後、京極氏、松平氏と統治したのち、二百六十数年たった明治四年（一八七一）になって、藩主はこの地を去って東京に行った。それ以来修繕をするものもいない。かくして、城壁は壊れ、とりでも崩れ、今はただ天守閣のみが松の間にそびえ立ち、冬のカラスがぎゃあぎゃあと鳴きながら、夕靄のなかを飛んで、あたかも城を守っているかのような風景が残るだけである。

【解説】二〇一五年に国宝となった松江城。その別名千鳥城は、屋根の形状が千鳥の羽を広げた様に似ることによるという説がある。明治八年（一八七五）、取り壊されそうになったが、有志の奔走によって、天守閣のみかろうじて保存されることになった。『出雲名勝摘要』が出版された頃は、手入れをする余裕がないまま放置されていたらしい。

風壌竟帰神化敦
英雄割拠跡徒存
息兵猶足鍛鋼産
征利唯無煮海村
苔菜貢新十六島
城営尋古八重垣
富強別逞経綸術
不用書生越俎論

中島（なかじま） 櫻隠（そういん）

風壌（ふうじょう）竟（つ）いに帰（き）す神化（しんか）の敦（あつ）きに
英雄割拠（えいゆうかっきょ）の跡（あと）徒（いたず）らに存（そん）す
兵（へい）を息（や）むるに猶（なお）足（た）る鍛鋼（たんこう）の産（さん）
利（り）を征（もと）むるに唯（た）だ無（な）し煮海（しゃかい）の村（むら）
苔菜（たいさい）新（あら）たなるを貢（みつ）ぐ十六島（うっぷるい）
城営（じょうえい）古（いにしえ）を尋（たず）ぬ八重垣（やえがき）
富強（ふきょう）別（べつ）に逞（たくま）しくす経綸（けいりん）の術（じゅつ）
書生（しょせい）の俎（そ）を越（こ）えて論（ろん）ずるを用（もち）いず

【大意】この出雲の風土は結局神のありがたい教化に帰していったのである。群雄割拠の時代は去り、その跡（古戦場）が空しく残るばかり。戦いが終わって武器を作るのはやめたが、たたらの鉄の生産はなお十分に盛んである。経済的収益の点では、海の近くなのに他の地域のごとく海水を煮て塩を作る村がないことだけが問題。海苔はとりた

〔中島櫻隠〕

＊**風壌**　風土に同じ。

＊**神化**　神秘的な力で世界を変えること。また、神霊による教化。出雲神話の地にふさわしく、大国主命の霊力と教化に民がしたがって、出雲国が平和に治められていることをいうのであろう。

＊**英雄割拠**　三国志のように、地方ごとの勢力が天下を分割して占拠すること。ここでは、戦国時代の尼子氏をさすか。

＊**息兵**　戦争をやめて、武器を捨てること。

＊**鍛鋼**　出雲は、江戸時代、たたら製鉄の有数の産地であった。

＊**征利**　利益を求めること。『孟子』梁惠王上「上下交も利を征めて而して国危うし矣」。

＊**煮海**　海水を煮て塩を生産すること。

＊**苔菜**　中国では野菜の一種であるが、ここは「のり」のこと。

＊**十六島**　島根半島の北西部にある岬。十六島海苔の産地として著名。「うっぷるい」（語源未詳）と読む。

＊**城営**　城や軍営。松江城をさすと考えるべきであろう。編者もこの詩を千鳥城題

下の冒頭に掲げているのでそう考えていたと思われる。
＊八重垣　幾重にもめぐらした垣根。松江城の城壁を、『古事記』で素戔嗚尊が出雲で詠んだ「八雲立つ出雲八重垣妻籠みに八重垣作るその八重垣を」に見立てた。八重垣神社のことではない。
＊富強　富国強兵。
＊逞　能力を十分に発揮する。
＊経綸　「綸」は原本では「倫」に作る。今正す。糸を整えること、引いて天下を治めること。
＊書生　読書人。政治に携わらない口先だけの知識人という卑下のニュアンスがある。
＊越俎　先祖や神に料理を捧げて祭る際に、尸祝（祖先霊が憑依する役目の人）が、樽俎（さかつぼといけにえの肉を備える台）の向こうの庖（料理人）の役目に代わることから、自分の職分を越えて、他人のことにまで世話をやくこと。『荘子』逍遙游「庖人は庖を治めずと雖も、尸祝は樽俎を越えて之に代らず」。

ての十六島海苔が産するし、千鳥城は、いにしえぶりを目指したのか、素戔嗚尊の故事にならって、八重の石壁をめぐらして防衛している。（などと偉そうな批評をしたが）この国は、富国強兵策を取っている上に、さらに立派な国家経営能力を存分に発揮しているのだから、書生っぽの私が分を越えて論ずることはあるまい。

【解説】中島櫻隠（一七七九〜一八五五）は、江戸時代後期の儒者、漢詩人。京都の人。弘化三年（一八四六）ごろ松江を訪れた。その詩集には、後の雨森精翁である妹尾君恭と応酬した詩が載せられている。この詩の出処は不明だが、あるいは雨森精翁の手元に残されたもので、『出雲名勝摘要』のためにわざわざ提供したのかもしれない。

魚膾堆盤＊白玉光
雲州＊酒冽割人腸
巨鱸三尺江南＊美
駿馬千群冀北＊良
午笛舟迷橋柳影
春旗城掩渚花香

劉石秋

魚膾盤に堆し白玉の光
雲州酒は冽くして人の腸を割く
巨鱸三尺は江南の美にして
駿馬千群は冀北の良なり
午笛舟は迷う橋柳の影
春旗城は掩わる渚花の香

〔劉石秋〕

＊堆盤　陸游・初夏行平水道中「村店盤に堆く豆夾肥ゆ」。

＊雲州　出雲国、松江藩のこと。

＊江南　今の中国浙江省、江蘇省あたりのこと。松江（現上海市）の鱸は有名。第二勝大橋鱸網由緒参照。

＊冀北　今の中国河北省あたり。馬の名産地。

＊泮宮　「泮」はもと「洋」に作る。今正す。もと魯の泮池に建てられた学校。ここでは、藩校（明教館？）を指す。

＊経筵　経典の講義の場をさす。

＊乗黄　四頭の黄色い馬に引かれた馬車。『詩経』秦風・渭陽「路車乗黄」。ここでは広く高貴な子弟が乗る立派な馬を指すのであろう。

泮宮＊日暮経筵＊散　泮宮日暮経筵散じ（はんきゅうにちぼけいえんさんじ）

一路咏帰多乗黄＊　一路咏いて帰るは乗黄多し（いちろうたいてかえるはじょうこうおおし）

【大意】刺身が皿に盛られてまるで白玉の光のようだ。それに出雲の酒は清冽ではらわたがきりさかれるようだ。おおきなスズキは三尺で中国は江南の鱸にまがうおいしさ。優れた馬は、千匹も群れて冀北の良馬にもまさるとも劣らない。昼に笛をききつつ、舟は橋の柳の影の中を迷いながらのろのろと進み、春風に旗のはためく城はすっかり岸の花の香りにおおわれる。夕暮れ藩校は経典の講義が終わり、道をぞろぞろと詩を口ずさみながら帰るものの中には、立派な葦毛の馬に乗っているものが多い。

【解説】劉石秋（一七九六～一八六九）。江戸時代後期の儒者。豊後の人。後京都で開塾。各地を旅行し、山陰も訪れる。その集『緑芋村荘詩鈔』に、この詩が収められている。江戸時代の松江城界隈のリアルな描写であろう。

亀田山（かめだやま）　島（しま）重養（しげかい）

あふく（おおぐ）大城（おおき）は　松（まつ）にのみ　残（のこ）るもあはれ　萬代（よろずよ）の声（こえ）

【大意】亀田山に、見上げるほどの巨大な城。かつては、太平を喜び、いつまでも城が続くようにと祈る声にあふれていたであろう。ところが、その甲斐無く、今では荒れ果て、松が風に鳴る音に、往時のそれら声がかすかに残っているのが聞こえるだけ、何ともかなしいことだ。

【解説】以下の歌四首は、おそらく松江城で歌会などを催して、同じ約束事で、歌を詠みあったのではないか。例えば、「城」は「き」として読み込む、亀、鶴、松などめでたい長寿に関わる縁語を用いる等々。

島重養（一八一二～一八八三）は、江戸後期から明治時代の出雲人社代々の神職、禰宜。父、島重老（歌人として有名）に、国学、歌学などをまなび、和歌にすぐれた。

荒廃した遺跡に、無常観を詠む。名勝案内にはあまりふさわしくない歌。

武田　道年

萬代の　亀田の山と　思ひしを　人たにすます　なりにける哉

【大意】亀のようにいつまでも長く続く亀田山だと思っていたのに、人っ子一人、誰もすまなくなってしまったのだなあ。

【解説】武田道年は、『和学者総覧』（國學院大學日本文化研究所　汲古書院一九九〇）に「国学者、出雲出川清流男」、『出雲国皇学者歌人

学系畧初編』「島重老門人録」の項に「出川道年　意宇郡来海村農兵太郎ト称ス」とある人らしい。

この歌も、引き続き、荒廃した当時の松江城を見た感慨を率直に述べる。

北島（きたじま）　三綱（みつな）

むれわたる　田鶴（たず）の羽風（はかぜ）に　亀田山（かめだやま）　城（き）の辺（へ）の松（まつ）も　千代（ちよ）よ*はふ（う）なり

【大意】一面に群れて空を渡っていく、鶴の羽が強い風を吹き付けるので、亀田山の城のあたりの松も、永遠に地に這った姿でいるのだ。

【解説】北島三綱は、『出雲国皇学者歌人学系畧初編』「富永芳久門人録」に「北島孝郷　大社上官亘人ト称ス又三綱トモ云フ」とある。なお、第十五勝「龍頭ヶ瀧」の項所収の北島三綱の歌についての解説を参照。

「田鶴」は「発つ」、「松」は「待つ」の掛詞とすれば、二者の恋愛関係にも似た関係を暗示しているのかもしれない。前二首のように無常観一方ではない詠み方。田鶴、亀、松、千代は、長寿に関わる縁語。また、鶴は仙人の乗物であり、かつ仙人そのものの象徴ともなり、めでたい。景色の描写もあり、ようやく、名勝案内にふさわしい歌となった。

〔北島三綱〕

***千代よ**　「千代代」であろう。「ちよよ」はまた、鶴の鳴き声も掛けるかもしれない。和歌では、普通千鳥の鳴き声であるが、それならば、さらに千鳥城にも通ずる。

〔松井言正〕

＊萬代の春は成にけり　松江城の永続を祈るとともに、春のひよりが、永遠に続くような感覚を詠んだのだろう。「は」は、「に」の誤刻であろうが、「萬代の春」が完成したという気持ちを詠んだと解釈しておく。

＊亀田山　「亀」は、「萬代」の縁語で、めでたさが強調される。

＊大城　城の上古風の言い方。千鳥の「多き」を掛けたか。

＊うちかすみつつ　「うち」はほんの少しの意の接頭語。「つつ」はいわゆる新古今風のつつ止め。動作の継続や並行の意は薄く、「…していることよ」のような、柔らかな詠嘆を表す。

松井（まつい）　言正（のぶまさ）

萬代（よろずよ）の　春（はる）は成（なり）にけり＊　亀田山（かめだやま）＊　千鳥（ちどり）の大城（おおき）＊　うちかすみつつ＊

【大意】いつまでも続く春とはなったようだ、亀田山は。大きな千鳥城が、少しかすんでいることだ。

【解説】松井言正は、『出雲国皇学者歌人学系畧初編』「島重老門人録」に「松井言正松江藩士理八ト称ス」とある。「のぶまさ」の読みは、森繁夫『名家伝記資料集成』（思文閣出版一九九〇）「松井言正」項のふりがなにしたがった。

重養の暗い歌から、だんだんと明るくなって、春の松江城のめでたさをことほいで和歌の部分が終わる。

松江（まつえ）　菊川（きくせん）

水湖（みずうみ）に　山（やま）の尾（お）を引（ひく）　かすみかな

【大意】宍道湖に向けて城山の尾根がずっとのびている。霞もそれに沿ってずっとたなびいている。亀が尾を泥中にひきずっているようにもみえる。

【解説】山内曲川以外、この時期の俳人の本名や履歴は殆どわからないのであるが、菊川の名は、曲川の選句した『風流新誌』（明治十四年）にも見え、当時の曲川門下と考えてよいだろう。

　山の尾が「ひく」、かすみがたな「びく」とを掛けた表現。松江城の高台から宍道湖を見おろしたときの風景。季語はかすみ（春）。さらに、『荘子』秋水篇の語「（亀が）尾を塗中に曳く」をふまえて、城山である「亀」田山が尾を引きずっている姿を思い浮かべているのかもしれない。雄大な景色に対して、卑俗な比喩を用いる。漢詩、和歌にない俳諧独自のふざけた表現を目指しているのだろうか。

第二勝　松江大橋　寒風の中のスズキ漁

○大橋鱸網

橋ノ一名ヲ分郡橋ト曰フ。島根、意宇両郡ノ一大橋ニシテ、其長サ一町十二間、此処即チ碧雲湖脚ナリ。西望東眺、共ニ相ヒ宜シ。毎歳立冬ノ候ヲ最トシテ、橋辺ニ漁船数十艘ヲ繋キ、流ニ従テ、下ル

〔大橋鱸網由緒〕

＊分郡橋　実際は橋より北にも、意宇郡に属する地域がある。

＊島根、意宇両郡　島根郡は現松江市北、意宇郡は現松江市南、安来市等で、松江大

橋のある大橋川で大体南北に分かれる。

＊一町十二間　一町は約一〇九メートル。一間は約一・八メートル。

＊碧雲湖脚　「碧雲湖」は宍道湖の雅名。菅茶山によって命名されたという。「宍（肉の異体字）」は雅でないので、詩人達に愛好された。「湖脚」は、湖水が外（大橋川）へ流れ出すところ。楊万里・望雨「雲は興る恵山の頂、雨は放つ太湖の脚」。俗語。

＊支那　中国。中国で仏典を漢訳する際、インドでの呼称（シナスターン、「秦」から派生か）を音訳したもの。西洋語のchina等の語源でもある。西洋の知識の流入とともに、日本では江戸中期以後頻用された。ここの記述でもわかるように、「東シナ海」等と同様、元来は侮蔑等のニュアンスはない。

＊松江大橋　内田兼四郎編著「松江大橋物語」（一九七四）参照。

トコロノ鱸(すずき)ヲ網(あみ)ス。腮(えら)ノ数四(かずよつ)アリ。其味(そのあじ)絶(はなは)タ美(び)ニシテ、恰(あたか)モ支那(しな)＊ノ松(しょう)江(こう)ノ鱸(すずき)ノ如(ごと)シ。故(ゆえ)ニ此名(このな)夙(つと)ニ著(あらわ)ハル。

【大意】大橋の別名は分郡橋（二つの郡を分ける橋）。島根、意宇の二郡の境にある巨大橋であり、長さ一町十二間、宍道湖の端にかかっている。西を望んでも、東を眺めても、どちらもすばらしい景色である。スズキの漁は、毎年立冬（十一月八日頃）の時節が最も盛んで、大橋のあたりに漁船数十艘をつないで、流れに任せて川を下ってくる鱸を網で捕らえる。鰓の数は四つある。その味は大変においしく、中国の松江の鱸に負けず劣らない。そういうわけで、大橋の鱸の漁は早くから有名である。

【解説】大橋は松江大橋。＊この時期のものは、明治七年（一八七四）にかけられたもの（第十四代）。

鱸網は、スズキを四つ手網等で採る漁法。日本のスズキは中国の鱸とは別の魚。スズキはハタ科の近海魚。夏に汽水域に上ってくる。中国の鱸は、カジカ科、淡水魚でドンコの類い。現上海の松江区の特産。西晋の張翰が、故郷の呉の秋の風味を思い起こして、官を辞したという故事で有名。中国の鱸は、別名四鰓魚であるが、日本のスズキは鰓の数に特徴はないようである。星野は、漢籍の知識のみで論じたか。

日本のスズキは、出世魚として有名。

湖天*飛霰日将晡
橋上行人粛々*趨
漁父不知寒気甚
驚濤*翻処網銀鱸

釈 道光

湖天霰飛び日は将に晡れんとす
橋上の行人粛々として趨く
漁父は知らず寒気の甚しきを
驚濤翻る処銀鱸を網にす

【大意】湖の上の空にあられが飛び、日は暮れようとしている。橋の上を人々がしずしずと先を急いでいる。漁師はひどい寒さもかまわず、恐るべき大波がかかってくるところで、銀色の鱸を網で捕らえている。

【解説】釈道光（一七四六～一八二九）。名は日謙。大阪生まれ。漢詩に優れる。出雲に来て平田法恩寺住職となる。晩年近くは松江に閑居。この詩の出処は不明。

大橋川や宍道湖は、天候が荒れると、魚がよく捕れるらしい。以下の作品も同様の趣旨が見られる。

枯蒲葉爛*不籠*烟

釈 天鱗

枯蒲の葉は爛れ烟に籠められず

〔釈〕道光

＊湖天　ここは湖の上の天でよいであろう。湖に映った天とも考えられる。王維・使至塞上「帰雁湖天に入る」。

＊粛々　様々なニュアンスのある漢語だが、道光と交流のあった頼山陽の題不識庵撃機山図「鞭声粛々夜川を過ぐ」と同じく、静かに歩くさまであろう。また、だらだらせずに先を急ぐ早歩きの気持ちもあるか。『詩経』召南・小星「粛粛宵に征き、夙夜公に在り」。その毛伝「粛粛、疾き貌」。

＊驚濤　人を驚かしめるほどの波。曹丕・滄海賦「驚濤暴かに駭き、騰踊澎湃す」。

〔釈〕天鱗

＊爛　腐ってしまうこと。

＊籠　かごのように覆い包む、または包まれること。
＊寒碧　冬の湖面の冷たい感じのみどり色。
＊惨澹　山陰冬季特有のすさまじくて薄暗い天候。
＊漁子　漁人、漁夫と同じ。
＊杙　舟をつなぐ杭。動詞化して、杭に舟をつなぐの意。

〔内村鱸香〕
＊行舟　行く舟。舟を行かしむ、ではない。
＊珠　珠といえば、蘇軾・六月二十七日望湖楼酔書「白雨珠を跳らせて乱れて船に入る」。
＊驚浪　驚くべき強い波。

寒碧遙涵*惨澹*天
漁子*豫知風浪起
江心争杙*捕鱸船

寒碧（かんぺき）遙（はる）かに涵（ひた）す惨澹（さんたん）たる天（てん）
漁子（ぎょし）豫（あらかじ）め知（し）る風浪（ふうろう）起（お）こるを
江心（こうしん）争（あらそ）って杙（よく）す鱸（すずき）を捕（と）る船

【大意】枯れたガマの葉はすっかり落ちて、もや一つかからず、景色はくっきりとして清冽である。寒い緑色の湖面は遙か彼方まで暗い空を浸している（映している）。漁師達は風波が立って大漁になるだろうと予想して、大橋川の真ん中で先を争ってすずきとりの舟を杭につないでいる。

【解説】釈天鱗（一八〇七～一八九一）。江戸後期から明治時代の僧。松江の人。仏教はもとより、漢学、和歌、詩文に長じた。真宗大谷派。松江で住職となる。明治三年松江藩校修道館でおしえ、のち家塾を寺内にひらいた。俗姓は河野。字は縦壑。号は苔州等。

内村（うちむら）　鱸香（ろこう）

行舟*稍遠泛群鳧
飄霰如珠*撲荻蘆
昨夜寒風捲驚浪*
漁人得意*捕銀鱸

行舟（こうしゅう）稍（や）や遠（とお）くして群鳧（ぐんぷ）泛（うか）び
飄霰（ひょうさん）珠（たま）の如（ごと）く荻蘆（てきろ）を撲（う）つ
昨夜（さくや）寒風（かんぷう）驚浪（きょうろう）を捲（ま）く
漁人（ぎょじん）意（い）を得（え）て銀鱸（ぎんろ）を捕（と）る

＊**得意**　満足の行くこと。得意げに、というのとは、ニュアンスを異にする。

【大意】鱸漁の舟が少し遠いところを漕いでいき、そのあたりには沢山のカモが群がっている。ぱらぱらと風に吹き上げられたあられは、まるで真珠をばらまくように、荻や蘆に打ちつける。昨夜寒風が驚くほど大きな波を巻き上げた。おかげで、今日は大漁、漁師達は思う存分、銀色の鱸を捕るのである。

【解説】内村鱸香（一八二一〜一九〇一）。松江生まれ。名は篤棐。通称は与三郎、友輔。幕末、明治の儒学者。大阪、江戸に遊学。幕末、帰郷して、藩校で儒学を講ず。明治七年、私塾相長舎を開く。かたわら、明治九年より明治十九年まで、松江中学校等の教師となる。星野文淑の師。星野の墓誌銘を撰す。

秋風吹老*松江水
知是鱸魚味方美
昨夜長竿有獲不*
漁翁猶宿蘆花裏

杉　聴雨

秋風吹きて老いしむ松江の水
知る是れ鱸魚味方に美なるを
昨夜長竿獲ること有りや不や
漁翁猶お宿る蘆花の裏

〔杉聴雨〕

＊**吹老**　吹いた結果、対象が老いるという文法構造。「打死」（殴り殺す）等と同じ。戴復古・渓上「秋風吹きて老いしむ木綿の花」。

＊**不**　音フウ・フ。文末に用いて一種の反復疑問文をつくる。「…したか、しなかったか」ではなくて、「…したか」。

【大意】秋風が吹いて、松江の川も、老衰したような気配になってしまったが、それはかえって、スズキがこれからうまくなるということ

＊漁翁　柳宗元・漁翁「漁翁夜西巌に傍いて宿す」。
＊宿　一晩留まること。
＊蘆花　蘆の穂わた。晩秋の景物。宍道湖や大橋川はかつて蘆に一面おおわれていたそうである。

〔島重養〕
＊下ゆく波の　原文は「の」字を脱す。今補う。藤原家隆「春風に下行く波の数見えて残るともなき薄氷かな」。
＊よるとなく　「よる」は、「寄る」と「夜」の掛詞。
＊昼も鱸の　鱸は、川の水が「濯（すす）ぐ」と掛けるか。あるいは「昼もすがらに」の「す」字のみを掛けているのか。
＊らむ　現在推量の助動詞であるが、「なぜこんなことをしているのだろう」といぶかしむ語気が漂う。

〔別火千秋〕
＊網さち　網にとれた獲物。

を我々に知らせてくれるのである。昨夜あの長い釣り竿で魚を捕ることができたかしら。年寄りの漁師が一晩越しで花咲く蘆の茂みの中になおも留まっている。

【解説】杉聴雨（一八三五～一九二〇）、通称孫七郎。山口出身。幕末から大正の武士（山口藩士）、官僚。書画に秀でた。この詩の原典及び彼の松江来訪の事情等はよくわからない。

島　重養（しま　しげかい）

大橋（おおはし）の　下（した）ゆく波（なみ）の＊　よるとなく＊　昼（ひる）も鱸（すずき）の＊　幸（さち）やまつらむ＊

【大意】大橋のたもとに絶えることなく寄る波のように、夜となく、昼となく、漁師達はいつもスズキがかかるのをまっているようである（そのように、私も恋人との出会いを待ち望んでいる）。

【解説】「幸」は、自然からとれる産物。海の幸、山の幸というときの「さち」。眼前の実景を詠みつつ、恋人の「寵幸」も掛けていると思われる。次の歌の「さち」も同様。同時期に歌会等を催して作られたか。

別火（べつか）　千秋（ちあき）

鱸（すずき）とる　網（あみ）さち＊おほみ＊　大橋（おおはし）を　過（すぎ）かて（が）にして＊　人（ひと）そ（ぞ）賑（にぎ）はふ（わう）

***おほみ**　多いので。

***過かて**　もと「過のて」に作る。今正す。変体仮名「可」の彫り間違いか。

〔長谷川龍衛〕

***曳く綱の**　柿本人麿「彦星の妻まつ舟の曳く綱の絶えむと君に我が思はなくに」。

【大意】網にかかったスズキの量があまりに多いので、沢山の人が、大橋をそのままわたってしまうのを惜しんで、立ち止まって賑やかに見物している。

【解説】別火千秋は、幕末の歌人・国学者。出雲大社の上官。本名別火吉満、通称治郎、千秋。『出雲名所歌集　初篇』等当時の多くの和歌集にその作品が収められている。

　後撰集「誰聞けと鳴く雁がねぞ我が宿の尾花が末を過ぎがてにして」を意識すると思うが、同じ「すぎがて」を用いて、賑やかな世界を詠む諧謔。前首の恋の雰囲気もぶちこわす。あるいは、逆に恋人がたくさんいて、にっちもさっちもいかないような状態をほのめかすか。

長谷川（はせがわ）　龍衛（たつえ）

大橋（おおはし）の　なかき（が）世かけて　曳（ひ）く綱（つな）の*　あみめもらさぬ　幸（さち）そ（ぞ）楽しき

【大意】大橋ははなはだ長い、そのような長い夜を通して、漁師達は網の綱を引いてきた。その結果、網目を一つももらすことがないほどの大漁になって嬉しくてたまらない風である。

【注】長谷川龍衛は出雲大社の神官。経歴不詳であるが、明治初期、出雲国造（出雲大社宮司）千家尊福が大教正であったとき、訓導とし

て、民衆の教化につとめた。

「ながき」は、大橋や綱が「長」いのと、夜が「長」いのを掛けている。世は「よ」とよんで、鱸漁の描写としては「夜」の義で用いたのであろう。また、竹などの節と節との間を「よ」というので、綱の結び目（節（よ）という）と結び目の間に流用したか。ただ、この和歌も恋愛を暗喩していると考えられるので、一夜ではあるが、男女の仲の義の「よ」も掛けているのであろう。さらに、一夜ではあるが、心理的に幾世代にもわたるような長時間に感じられるという気持ちで「世」の字を用いたのかもしれない。藤原実教「移り行く人の心は花葛長きよかけて何たのみけむ」。

スズキがたくさんとれて、漁師達はもちろん楽しく思うであろうが、見物する作者もうきうきするのであろう。恋の成就を暗喩するか。

武田（たけだ）　道年（みちとし）

大橋（おおはし）の　鱸（すずき）のあみや　ゆるむらん　あから嶋風（しまかぜ）*　吹（ふき）たちにけり

【大意】大橋の下で、スズキの網漁をしているが、その網がゆるんでいるのはなぜだろう。突然の大風が吹き始めたからか。

【解説】思いがけない障碍による、恋情のゆるみや恋の破局を暗喩しているのではないか。

〔武田道年〕

＊あから嶋風　暴風。あかしまかぜ。日本書紀・神武「海の中にして卒（にわか）にあからしまかぜに遇ひぬ」。あからしま（あからさま＝突然）な風という意味なので、「嶋」は単なる当て字であろうが、或いは宍道湖の嫁が島方向から吹く強風を意識するか。

〔立久恵由緒〕

＊神亀峡　「神亀」は不思議で霊妙な亀。

＊神門郡　律令制以来の郡。『風土記』に記載あり。明治十二年行政区画としての神門郡が発足。大部分が現出雲市西部。明治二十九年郡制施行により、当時の出雲郡・楯縫郡・神門郡区域に簸川郡が発足。

＊乙立村　『出雲国風土記』の神門川の項に、「神門郡餘部里門立村」とある。門立（とたち。岩が門のように並び立つ様か）が訛って「おったち」に変わったらしい。現出雲市乙立町。

＊螺岩……腰直岩　烏帽子岩、猿岩、屏風岩の名は現在も立久恵峡の案内板に書かれている。

＊丈　尺貫法では一丈約三メートル。

＊町　一町は約一〇九メートル。

＊老松古杉　日本では、「老松古杉」としばしば熟する。

＊媚ヲ献ジ　本来はこびを売って、人の歓心を買うことであるが、ここでは歓迎を受けること。風光明媚の感動を人に与えること。

第三勝　立久恵峡　太古の真気を失わず

＊水烟　川から立ち上がるもや。

＊籠　「こむ」と読んでいるが、「こめらる」の意であろう。覆われること。

＊雲雨　宋玉・高唐賦序「(巫山の神女が)旦には朝雲と為り、暮には行雨と為る」を意識した措辞。

＊間　一間は約一・八メートル。

＊飄飄乎　軽やかで俗世を超越した様。蘇軾・前赤壁賦「飄飄乎として世を遺れて独立し、羽化して登仙するが如し」。

＊塵世　俗世間。

＊覚フ　古典文法に従えば、「覚ユ」とすべき所。

〔雨森老雨〕

＊老雨　雨森精翁の別号。

＊使……乎　仮定の気持ちを表す。「もし」と訓じてもよい。

＊易地　お互いに場所、立場を換えること。『孟子』離婁下「禹、稷、顔子は、地を易うれば則ち皆然らん」。

＊僻在　繁華な地から遠く離れたところにあること。杜甫・寒雨朝行視園樹「啼猿僻在す楚山の隅」。

＊畳嶂　重なるみねみね。「畳障」にも作

○立久恵

名ヲ神亀峡＊ト曰フ。神門郡＊乙立村＊ニアリ。螺岩、烏帽子岩、猿岩、屏風岩、腰直岩＊等ノ巨岩聳立シテ、其高サ数十丈＊、幅凡ソ十町＊。老松古杉＊、媚ヲ献シ＊、朝ニ水烟＊ヲ籠＊メテ、暮ニ雲雨＊ヲ籠ム。川ハ則チ神戸川ノ上流ニシテ、幅凡ソ二十間＊。一舟ヲ買フテ、流ニ溯レハ、其身ハ飄々乎＊トシテ塵世＊ノ外ニ出ツルヲ覚フ＊。

【訳】別名神亀峡。神門郡乙立村にある。螺岩、烏帽子岩、猿岩、屏風岩、腰直岩等の巨岩がそびえ立ち、その高さは数十丈、全長は十町にわたる。老いた松、古びた杉は、風光明媚な様を見学者に提供し、渓谷は、朝には、川からのもやにおおわれ、暮れには、雲や雨におおわれる。この川は神戸川の上流であり、幅は二十間。一艘の舟を雇って、流れを溯ると、その身は、ひらひらと漂うようになって、俗塵にまみれた世を抜け出たような気分になる。

【注】立久恵峡は現出雲市南部、神戸川上流二キロメートルの峡谷。神戸川は、『出雲国風土記』の神門川。女亀山（めんがめやま）を発して北流し、琴引山のもとを通り、立久恵峡を経て、出雲平野に入り、日本海に流れる。かつては神西湖に注いでいたのを、江戸時代に工事をして流路を変えた。中国山地の木を切り出すために、江戸時代引き

る。
＊**複嶺**　「畳嶂」と同意。
＊**才学**　才能や学問。
＊**天造地設**　天地の始まり。万物創造の時を指す。また、人為の加わらぬ自然のままのこと。『易』屯「天造り草昧し」。
＊**混沌未闢**　世界が始まる以前のカオス状態。
＊**真気**　天地自然の元気、エネルギー。
＊**羅漢寺**　耶馬渓にある曹洞宗の寺。五百羅漢で有名。頼山陽・耶馬渓図巻記では、人工物のためか、それほど評価が高くない。「羅漢寺に至る。……五百像を安んず。余復た甚だしくは賞せず」。したがって、ここは、せめて羅漢寺程度の名声は得られただろうにというニュアンスか。なお、立久恵峡にも五百羅漢があるが、多くは大正以後のものだという。
＊**幾希**　殆ど違いがないことを言う。『孟子』離婁下「人の禽獣に異なる所以の者幾んど希なり」。この「異」を「不為」に置き換えた。
＊**此中消息**　当事者以外にはわかりにくい微妙な事情。

舟等の河川交通が盛んであった。

雨森　老雨＊

使此勝与耶馬渓易地乎、海内第一之称、未必舍此而属彼。不幸僻在山陰畳嶂複嶺＊中、済勝之士罕至。是其名之所以不甚著。士之抱才学＊而所居不得其地者、不亦然乎。雖然、天造地設＊、渾沌未闢＊、其不失太古真気＊者、亦唯在此。不然、其不為羅漢寺＊者幾希＊。乃安知其為不幸者之適非其幸乎哉。此中消息＊難与不知者道。

【訓読】此の勝をして耶馬渓と地を易えしめん乎、海内第一之称、未だ必ずしも此を舎きて彼に属せざらん。不幸にして僻にして山陰　畳嶂　複嶺の中に在り、済勝の士至ること罕なり。是れ其の名の甚しくは著れざる所以なり。士の才学を抱いて、居る所の其の地を得ざる者も、亦た然らず乎。然りと雖も、天造り地設け、渾沌未だ闢かず、其の太古の真気を失わざる者も、亦た唯だ此に在るのみ。然らずんば、其の羅漢寺と為らざる者幾んど希ならん。乃ち安くんぞ其の幸いならずと為す者の適ま其の幸いに非ざるを知らん乎哉。此の中の消息は知らざる者の与に道い難し。

【大意】この名勝があの耶馬渓と場所を変えたなら、日本一の名が、

〔釈道光〕
＊軽舟　小さく高速軽快な舟。軽舟といえば、李白・早発白帝城「両岸の猿声啼き住まざるに、軽舟已に過ぐ万重の山」。
＊峡雲　もともとは、主に三峡（長江中流域の巫山が浸されて作られた大渓谷）の雲を指す。立久恵峡を三峡に比する気持ちがあろう。宋玉・高唐賦は巫山の神女について、「旦には朝雲と為り、暮れには行雨となる」と述べる。前注の李白・早発白帝城も三峡を下った情景を詠む。
＊環合　ぐるっと周りを囲むこと。囲繞。柳宗元・至小丘西小石潭記「四面の竹樹は環合し、寂寥として人無し」。
＊奇峰　伝陶淵明・四時「夏雲奇峰多し」。
＊望不斉　山岳の稜線が一直線にならずぎざぎざである状態。
＊九曲　河流がくねくねと曲がること。もとは黄河について言った言葉。
＊渓流　山中の谷間の流れ。
＊清且浅　陶淵明・帰園田居其五「山澗清くして且つ浅し」。
＊幾多　日本語の「いくた」と異なり、本来は「幾何」、「多少」と同じく、「どれほ

こちらでなくてあちらになるとは限るまい。残念なことに、僻地で山陰の連峰のなかに埋もれてしまっているので、旅行者もまれにしかこない。これだけが、立久恵の名前がそれほど世に知られていない理由だ。志のある男子が学問をして、才能を持ちながら、その地位が、しかるべきものでない状況も、立久恵峡と同様であろうか。とはいえ、天地が創り出したままで、渾沌のまま開拓されることもなく、太古の真の気韻を失っていないのも、まさに同じ理由によるのだろう。立久恵峡がこのように僻地でなければ、耶馬溪の羅漢寺のように有名にならなかったことは殆どありえない。しかし、不幸であることがたまたま幸福であるということになるかもしれないではないか。このあたりの微妙な事情は、知らない人にはなかなか説明しにくいところである。

【解説】耶馬溪は、大分県中津市にある山国川の上中流域及びその支流域を中心とした渓谷。頼山陽によって称揚されて、全国的に有名になった。「海内第一」は、その頼山陽・耶馬溪図巻記「之を海内第一と謂うも或いは誣いざる也」に基づく。

「士」は、士大夫。中国では、学問によって官僚になるのを目指す知識人というニュアンスが強いが、ここでも、単にさむらいとか一人前の男という意味ばかりでなく、幕末・明治維新後の新しい時代の中で

ど」の意を表す疑問詞。感歎的に用いると、「どれほどか沢山の」というような、多量を強調するニュアンスになる。

＊巌樹　巨岩上の木。

＊朱子　朱熹ではなく、漢の政治家、官僚の朱買臣。「覆水盆にかえらず」の故事で有名。漢書・朱買臣伝によれば、「(その妻は)数ば買臣を止めて、道中に謳歌すること毋からしむるも、買臣兪よ益す疾歌す。妻之を羞じて、去ることを求む」。「歌謳」は、この朱買臣伝の「謳歌」と同義。

＊応接　出迎えること。人に限らず、自然や風景に対しても用いる。『世説新語』言語「王子敬(献之)云う。山陰道上従り行けば、山川は自ら相い映発し、人をして応接するに暇あらざら使む」。王献之は東晋の書家。王義之の子。『世説新語』の「山陰」は、浙江省紹興の会稽山を中心とした地域。附近を流れる曹娥江は耶馬渓・立久恵峡同様の景勝地として有名。日本の「山陰」地域と重ね合わせているか。

＊憒鬧　人間世界が混乱して騒がしいこと。『百経』小児得歓喜丸の語。道光は、

何とか居場所を探そうとする学識ある(旧)藩士達を暗にさすのであろう。

釈　道光

軽舟牽上峡雲西
環合奇峰望不斉
九曲渓流清且浅
幾多巌樹聳還低
歌謳更欲追朱子
応接恰同遊会稽
何日人間辞憒鬧
此中曳尾卜幽棲

軽舟牽き上る峡雲の西
環合の奇峰望みて斉しからず
九曲の渓流清くして且つ浅く
幾多の巌樹聳えて還た低し
歌謳更に朱子を追わんことを欲し
応接恰も会稽に遊ぶに同じ
何れの日にか人間憒鬧を辞し
此の中に尾を曳いて幽棲を卜せん

【大意】小舟を綱で引いて峡谷を上っていく、わきたつ雲の西の彼方まで。ぐるっと周りを囲む神秘的で奇妙な形をした峰々は、ぎざぎざとした稜線を見せている。ぐねぐねと曲がる渓流は清らかで浅い。岩に生えた沢山の木々が高くそびえたり、低くたれたりしながらずっと連なっている。興奮の余り、そのかみの朱買臣の故事にならって高歌放吟したくなる。すばらしい景色が次から次へとあらわれるのを出迎

僧侶であるので、仏典の語を典故に用いたのであろう。

***曳尾**　『荘子』秋水の条に、「此の亀は寧ろ其れ死して骨を留めて而して貴きを為さん乎。寧ろ其れ生きて而して尾を塗中に曳かん乎」とある。泥中に尾を曳く亀を、官界で身を犠牲にして出世するよりも、貧しくとも隠居して身を全うすることを選ぶ人の譬喩として用い、立久恵の別名「神亀峡」にも関連付ける。

***卜幽棲**　「幽棲」は静かで人里離れたすみか。また官界を離れて隠居すること。「卜」は「卜宅」。占いで住まいの場所を選ぶこと。

〔山村勉斎〕

***突兀**　高く聳える様。畳韻語。

***峡頭**　「頭」は「江頭」等と同じく、場所を示す接尾語。峡を二文字に引き伸ばした。

***崎嶇**　山道が険しい様。双声語。

***嫌**　山村勉斎の詩集『勉斎詩集』では、「嫌」は「厭」に作る。平仄からいえば「厭」が正しい。

***攀躋**　崖をよじ登ること。

えるのは、王献之が会稽の渓谷で遊んだ時もさぞかしこんな風だっただろう。いつか人間世界のごたごたを捨て去って、この立久恵峡に静かに隠居できる土地を選んで、亀が泥中に尾を引きながらも殺されずに生きていくように、貧しく惨めでも、人間性を全うできる生活をすごしたいものだ。

【解説】　道光上人（日謙）のこの作品は、彼の詩集『聴松庵詩鈔』には載っていないが、揮毫した軸物などが残っている。

山村　勉斎

突兀峡頭雲外欹
誰図世有此神亀
崎嶇休嫌攀躋苦
猶勝塵塗不可随

突兀たる峡頭雲外に欹つ
誰か図らん世に此の神亀有りとは
崎嶇嫌うを休めよ攀躋の苦しみを
猶お塵塗の随う可からざるに勝る

【大意】　急峻な峡谷が雲の向こうにそびえ立つ。こんな神々しい亀の化身のような地形がこの世にあるとは誰が思うだろうか。ごつごつとした坂を上る苦労をまあそういやがりなさるな。俗塵にまみれた世間の道を歩むのに比べたら、まだまだましだといえよう。

【解説】　山村勉斎（一八三六～一九〇七）。幕末明治時代の儒者。江戸

き方。

＊塵塗　ちりにまみれた道。世俗の道、生き方。

〔秋山光條〕

＊いはまくも　言語で表現しようとしてもの意。『万葉集』「かけまくもあやにかしこくいはまくもゆゆしくあらむと」。

＊あやに　言葉に表せないほど、なんとも不思議に。

＊もとも　最も。なににもまして。

＊くすしき　霊妙だ。不思議だ。

＊たちもおよばず　雲がわきたっても届かない。

＊あまつひ　「つ」は「の」に同じ。天の日。太陽。

＊かげもかくろひ　「かげ」は光の意。日光。明らかに、山部赤人「渡る日の影もかくろひ」を用いている。

＊かむさびたてる　「かむさぶ」は「かみさびる」、「かんさびる」の古い形。「さびる」はそのものらしくなることだが、古くなる（錆・寂）意もあり、古びて神と見まがうような世界を呈することを言う。「たつ」は「…しはじめる」の意か。

＊いはむら　岩石の群。

で大沼枕山、塩谷宕陰に学び、帰郷して出雲広瀬藩の藩校漢学所教授となる。明治七年修文館を創立し、のち島根師範講師をつとめた。名は良行。字は間伯。通称は十郎。別号に半城。この詩は、日謙の詩を意識して作ったようである。

秋山（あきやま）　光條（てるえ）

言巻毛　文尓文支志　言巻毛　最毛奇支志　白雲毛　立毛及須婆　天津日乃　影毛
隠比呂　萬代尓　神佐備立留　立久恵乃　峯乃巌群　千五百群　岩根撼
雷乃　音響似弖　落多藝知　瀧知流々留　琴引乃　美尾溯上　纜乎　松乃下
枝尓　打掛弖　遊留今日波　現身乃　世共覚須衣　薦枕　高天原乃　久方乃
天乃川原尓　何時来尓気牟
大空尓　麗留礼星乃　宿鴨　名尓立久恵乃　峯乃巌波

【読み下し文】いはまくも　あやにあやしき　いはまくも　もともくすしき　しらくもも　たちもおよばず　あまつひの　かげもかくろひ　よろづよに　かむさびたてる　たちくゐの　みねのいはむら　ちいほむら　いはねゆるがし　いかづちの　とよもすにて　おちたぎち　たぎちながるる　ことひきの　みをさかのぼり　ともづなを　まつのしづえに　うちかけて　あそべるけふは　うつせみの　よともおぼえ

＊ちいほ　千五百の大和言葉だが、要するに数が極端に多いこと。古事記「吾一日に千五百の産屋立てむ」。

＊いはね　岩根。どっしりと根を据えた大きな岩。いわがね。

＊いかづち　「雷」は万葉集では「いかづち」の訓。柿本人麻呂「大君は神にしませば天雲のいかづちのうへに庵するかも」。

＊とよもす　原文は「音響」。万葉集では、「響」一字で「とよむ」「とよもす」と訓ずるようであるが、音が響くことであることを強調するために「音」字をつけたのであろう。

＊おちたぎちたぎちながるる　「落ち滾つ」は、水が高い所から流れ落ちて、激しく泡立つ。「滾ち流る」は、水が激しくさかまき流れる。

＊ことひき　琴引山。立久恵峡のある神門川の上流にある。彌山（みせん）ともいう。『出雲国風土記』に記載あり。

＊みを　澪、水脈、水尾。水のすじみちの意。海や川の中で、水の流れる筋。特に、船の航行できる深い水路。

＊ともづな　船尾をつなぎとめる綱。

ず　こもまくら＊　たかまがはらの＊　ひさかたの＊　あまのかはら(わ)に＊　いつかきにけむ＊

おほ(お)ぞらに　かかれるほし＊の　やどりかも＊　なにたちくゑ(え)の＊　みねのいはほ(お)＊は

【訳】言葉では言い表せぬぐらいに、何とも不思議である。言葉では言い表せないぐらいに、たいへん神秘的である。白雲がわきたっても大岩に届きもしない。大岩によって天の太陽の光も隠されてしまう。何万年も厳かに立ち続けている立久恵峡の峰の岩々、一千五百を優に超えそうなそれらの岩を根元から揺るがして、雷が鳴り響くように、水は瀧となってなだれ落ち、激しく泡立ち逆巻く。そのような琴引山への水脈を溯っていき、舟の纜を松の下の方の枝にかけて、遊んだ今日のひは、とても現実の世界とも思えない。高天原の天上世界にあるという、天の川原にいつ来たのであろうか、というような気持ちになる。

（反歌）大空にかかった星座（天の河原）が、目の前にあらわれているのだろうか。名に「立」つ有名なこの「立」久恵峡の峰の大岩は（まるで天上世界みたいだ）。

【解説】秋山光條（一八四三〜一九〇二）は、宮司、国学者。江戸出

＊まつのしづえ　松の下の方の枝。

＊うちかけて　ちょっと引っかける。

＊あそべるけふは　古今和歌六帖「春の野の浅茅が上に思ふどち遊べる今日は忘られめやは」。

＊うつせみ　人間・世間・現世の意。枕詞として「世」、「世の人」などにかかる。

＊こもまくら　マコモを束ねて作った枕。特に、旅寝で即席の枕をいう。枕詞としては、薦枕が高いところから、「たか」にかかる。

＊たかまがはら　たかまのはら。日本神話で、天照大神をはじめ多くの神々が住んでいたとされる天上の世界。

＊ひさかたの　「あま」の枕詞。

＊あまのかはら　高天原にある天安河（あまのやすのかわ）の河原。天の川のことであろう。人麻呂「ひさかたの天の河原に八百万（やほよろづ）千万神の神集（かむつど）ひ」。

＊いつかきにけむ　疑問なので、係助詞「か」を補って読んだ。在原業平「塩釜に何時か来にけむ朝凪に釣りする舟はここに寄らなむ」。

身。号は雪の舎。明治初年に神祇官の宣教使に任命。その後、寒川神社宮司、出雲大社少宮司、三島大社宮司、八坂神社宮司を歴任。明治三十五年には再び寒川神社宮司を命じられた。明治十年ごろは、出雲大社少＊宮司として、大宮司千家尊福とともに、民衆の教化に努めた。

この作品は、万葉風で、五七調の長歌と五七五七七の反歌から成り立つ。神官の文章らしく、宣命体と万葉仮名を用いている。

島（しま）　重養（しげかい）

谷川（たにがわ）の　けしきもそへ（え）て＊　立久恵（たちくえ）の　山（やま）は舟（ふね）より　見へ（みるべ）かりけり

【大意】舟に乗って、谷川の景色のすばらしさと一緒に、立久恵の山々は堪能するのがよいのだよ。

【解説】立久恵峡は、今と同じく徒歩で観光するのが一般だったのであろう。わざわざ舟をやとう（もしくは便乗する）粋狂。以下三首、立久恵の景色の素晴らしさは前提として、わざと描写せず、どこから眺めるかの談義に終始する。当時はそこが新味であったか。

島（しま）　多豆夫（たずお）

川舟（かわぶね）の　もそろ〳〵（もそろ）に＊　のほ（ぼ）りきて　立久恵川（たちくえやま）は　見（み）るへ（べ）かりけり

＊かかれる　「麗」字は本来鹿が並ぶこと。引伸して、つらなる、かかる。易・離「日月天に麗（かか）る」。経信「久方の空にかかれる秋の月何れの里も鏡とぞ見る」。
＊ほしのやどり　漢語「星宿」（星座）を訓読みした語。経信「天の原ふりさけみれば七夕の星の宿りに霧たちわたる」。
＊なにたちくゑの　「名に立つ」は、評判になること。「立久恵」の「立」との掛詞。
＊みねのいはほは　家隆「身を捨てばいづくか人の宿ならぬ谷の木陰も峰の巌も」
＊出雲大社少宮司　この頃、千家尊福との共著に『福神像弁之概略』（出雲大社社務所　明治十年　国会図書館蔵）等がある。その『雪の舎歌文集』（明治三十八年国会図書館蔵）の小伝によれば、『出雲紀行』なる著書があるようだが、未見。
〔島重養〕
＊そへて　山だけではなく谷川も趣があるという意。
〔島多豆夫〕
＊川舟のもそろ〱に　『出雲国風土記』のくにびき神話「河船のもそろもそろに、国来（くにこ）、国来と引き来縫へる国は」

【訳】　川舟でゆっくりゆっくりと渓流をさかのぼってこそ、立久恵山はみるべきなのである。
【解説】　島多豆夫（一八三二〜一九二二）は、歌人、出雲大社権宮司。杵築（現出雲市大社町）出身。島重養の養子となる。明治五年出雲大社に出仕。養父の重養、その父重老をついで、歌人として活躍。
　島重養に同意しつつ、あわてずゆっくりと風景を楽しむべきことをも推奨して、あしらいの歌とした。

武田（たけだ）　道年（みちとし）

立久恵（たちくえ）の　腰（こし）のし岩（いわ）に　のぼりてぞ＊　山（やま）のけしきは　見（み）おろされける

【大意】　立久恵峡の腰のし岩に登ってこそ、山全体の景色は見おろすことができるのだ。
【解説】　歩いて「立」ち通しで疲れ果て（「久恵（崩え）」）たので、腰をのばす（「のし（伸し）」或いは「なおし（直）」→「のおし」→「のし」）という気持ちを地名の裏にこめている。腰のし岩は、由緒に見えた腰直岩。
　島重養や島多豆夫が舟から仰いで山々をみることを推奨するのに対して、遠望を楽しむためには、苦しくともやはり高いところで腰をのばして見おろすべきだと、やや意地になって異を唱えたのだろう。

北島(きたじま)　三綱(みつな)

岩畳(いわだたみ)*　たゝ(た)みし世(よ)*より　立崩て(たちくえ)*　苔(こけ)もしみらに*　神(かみ)さひ(び)ぬらん*

【大意】岩が重なってこの岩畳ができた時代から、岩がそりたったままでくずれてしまうほどの時間がすぎたので、そこに生えている苔も、その間中、同様に間断なく変化成長して、年を経たおごそかさをともなうようになっていったのであろう。

【解説】

前三者の歌が、どこから見るべきかの議論に終始するのに対して、今は論議をやめて、景色自体を凝視し、太古の世界からの悠久な時間の流れを感得すべきことを訴えて、一連の吟行を終える。

をそのまま用いた。風土記の国引き神話では、川舟のようにという譬喩であるが、ここでは実際に舟に乗っている。換骨奪胎の妙。『風土記』の言葉をつかうことによって、太古から悠久の時を経た景勝の雰囲気を漂わせる。「もそろもそろ」は、そろりそろりと。しずしずと。静かにゆるやかにするさま。

〔武田道年〕

＊のほりてそ　能因「足引きの山の高嶺に登りてぞ江夏の海は近く見えける」。

〔北島三綱〕

＊岩畳　岩が幾重にも重なっていること。万葉集「磐畳(いはたたみ)かしこき山と知りつつもあれは恋ふるか並ならなくに」

＊たゝみし　折りたたむようにして積み重ねる。何世代も重ねて、の気持ちも掛けるか。

＊立崩て　「たち」は強調の接頭語だが、ここは「立ち往生」のごとく、岩が倒れずに立ったままの状態で、という気持ちがあろう。「くゆ」は、くずれる。こわれる。「立久恵」と掛ける。

＊しみらに　終らに。たえずひっきりなしに。しめらに。『万葉集』「あかねさす昼はしみらにぬばたまの夜はすがらに」。苔が、渓谷の水気に染みる、湿るの気分もあるか。

＊神さひぬらん　「神さぶ」は、古びて神々しく見えること。「らん（らむ）」は、前に記したことが原因でそうなっているのだろう、という語気がある。

第四勝　小勝間松　まぼろしの巨松

〔小勝間松由緒〕
*名分村　現松江市鹿島町名分。
*島根郡　現松江市北部。
*丈、尺、間　それぞれ約三メートル。三〇センチメートル。一・八メートル。
*枝ノ大サ　もと「太サ」に作る。今正す。
*蟠ル　もと「蟠ル」に作る。今正す。
*鬱然　鬱蒼に同じ。草木等が盛んに繁茂するさま。
*後凋　後彫に同じ。『論語』子罕「寒くして然る後に松柏の後れて彫むを知る也」に基づく。困難に耐えて固く節操をまもること。ここでは、『論語』と同じく松がいつまでもみどりである様をいう。
*住吉、高砂　住吉は大阪市住吉区。高砂は兵庫県高砂市。『古今集』仮名序「高砂、住の江（住吉のこと）の松もあひ生ひのやうにおぼえ」。以来、両地の松が、対で称せられることが多い。
*名士　名望の高い人。広く気品ある風雅な有名人をさす。
*雅客　風雅な旅人の意。広く、詩文を好む文人をさす。「名士雅客」としばしば熟する。

○小勝間松

松江ノ西北一里餘、名分村*（島根郡*）小勝間山ニアリ。其大サ一丈*七尺*餘、高サ十二間*、右ニ転スル事十七間、左ニ廻クル事十九間。神代ノ老松ニシテ、枝ノ大サ*モ亦八尺ニ下ラス。其垂下シテ土ヲ穿チ、復タ躍リテ雲間ニ蟠ル*モノ、大小合セテ十有三。鬱然*ト独リ後凋*ノ色ヲ呈シ、住吉、高砂*ノ諸松ト其名ヲ競ヒ、名士*雅客*ノ之レヲ訪フモノ多シ。然ルニ中世*枯死シテ、高蹤*ヲ隠クスヲ以テ、小松其跡ヲ襲キ、今ヤ亦朝ニ孤烟ヲ籠メ*、夕ニ乱雲ヲ鎖サス*ト雖トモ、未タ昔時ノ風致*ヲ見ル能ハス。惜イ哉。

【大意】松江から西北に一里あまりほど離れた名分村（島根郡）の小勝間山にあった。（言い伝えによれば）その太さは直径一丈七尺あまり、高さ十二間、正面より右へぐるっと十七間、左へぐるっと十九間。神話時代から長い時を経た松で、枝の太さも八尺を超える。垂れ下がって地面を掘り、また上方に向かって、雲の間にグニャグニャと広がる枝は、大小合わせて十三本だったという。うっそうと茂って、他の木が枯れても枯れず、青々とした色をしめし、住吉や高砂の松達と、名声を争い、有名人や風雅を愛する旅人が多くここを尋ねた。ところが、かなり以前に枯れてしまい、そのすばらしさがあとをとどめなくなっ

＊中世　時代区分ではなく、現在からある程度隔たった時代。中頃。

＊高蹤　過去の立派な事蹟。中国では、「高蹤」は、政治から距離を置いて引退する人をほめるニュアンスがあり、松が対象とはいえ、ここの「高蹤を隠す」という措辞も、それを意識している。

＊孤烟ヲ籠メ　ここの「籠メ」も「籠められ」のつもりで使っているのだろう。「孤烟」は、遠方でそこだけ立っている煙やもや。王維・使至塞上「大漠孤烟直く、長河落日円かなり」。

＊乱雲ヲ鎖ザス　ここの「鎖ザス」も「鎖さる」の意。「乱雲」はぐちゃぐちゃになった雲。

＊風致　おもむき、品格。

たのを惜しんで、小さな松をその跡継ぎとして植え、かつてと同様、朝にはそこだけもやにつつまれ、夕べには乱れた雲に囲まれるほどに成長した。とはいえ、往事の風格を忍ぶにはまだまだ足りないのが、残念である。

【解説】小勝間松は、今はもうない。安達勝太郎『まぼろしの古跡小勝間山』（一九九三）参照。松江藩の地誌、黒沢長尚『雲陽誌』（一七一七）の『勝間神社』の項に「正哉吾勝（まさやわれかつ）の尊なりといふ。又庭鳥塚といへる。松一株あり。此の下に神代常世の長鳴鳥を埋めたりといふ。今も時により鳥の声するとなん」とある。安達書によれば、初代は寛永三年に枯れ、二代は安永年間に枯れ、三代は「おのれ生え、明治四十四年暴風により倒れる」。四代は昭和六十一年頃松喰虫被害により枯れ、小勝間山も圃場整理のため取り壊され、今では平地の田圃となっている。したがって、ここの小勝間松は三代目にあたることになり、『出雲名勝摘要』の挿絵と歌及び序は、明治初期の小勝間松の様子を忍ぶ貴重な資料である。

『出雲国風土記』に「加都麻社（かつまのやしろ）」として名が見えるのが小勝間だとされる。中世には小勝間城という山城があったらしい。「小」は、近くの「勝間城」（現鹿島中学）に対していう。

細野（ほその）　安恭（やすたか）

小勝間（こかつま）の　かけのたり尾（お）の＊　したり（だ）松（まつ）＊　神代（かみよ）なか（が）らの　姿成（すがたなる）らん＊

【大意】小勝間山に埋められて、今も鳴き声が聞こえるという伝説の鶏、その鶏の長く垂れる尾のように、しだれている松は、神話時代そのままの姿なのであろうなあ。

【解説】細野安恭は、通称宮市。出雲広瀬家士。明治初年の人（『名家伝記資料集成』、『出雲国皇学者歌人学系畧初篇』）。読みは『名家伝記資料集成』の振り仮名にしたがったが、「やすゆき」かもしれない。「かけ」は鶏（おそらく鳴き声が語源）。「たり尾」は、垂り尾。「かけのたり尾の」は、しだり松の序詞だが、先述の如く、『雲陽誌』に小勝間に常世長鳴鳥が埋められているという伝説があるのを意識しているのであろう。

松井（まつい）　言正（のぶまさ）

小勝間（こかつま）は　みやも＊鳥居（とりい）も　なけれ共（ども）　松（まつ）こそ神（かみ）の　しるし也（なり）けれ

【大意】風土記の時代勝間社があったらしい、小勝間山には、今では、拝殿も鳥居もないけれども、この残った松こそが神様の霊験あらたかな象徴なのだなあ。

〔細野安恭〕

＊**かけのたり尾の**　『万葉集』「庭つ鳥鶏（かけ）の垂尾（たりを）の乱れ尾の長き心も思ほえぬかも」。「あしひきの山鳥の尾の四垂尾（しだりを）の長々し夜を独りかも寝む」。

＊**したり松**　「しだる」も「たる」と同義（四段活用）。枝が垂れた松。近世では「枝垂れる」の当て字を用いる。安達書によれば、近世では「下り松」と呼ばれていたらしい。星野序にも、「垂下シテ土ヲ穿ツ」とある。

＊**姿成らん**　「らん」は「らむ」。なぜそんなことに、というようないぶかしむ気持ちがこめられている。

〔松井言正〕

＊**みや**　御屋。本来は神を祭る建物。

【解説】ここは先に引いた『雲陽誌』の常世長鳴鳥を意識するか。常世長鳴鳥は『古事記』の天の岩戸の下りにもあらわれる。一説には、鳥居の起源はこの神話に関係するという。

「しるし」は、神などの抽象的な概念が具体的にあらわれたもの。神を待つ（松）気持ちになることこそが、神の存在のあかしだというような宗教的な哲理もこめられているか。

武田道年

小勝間の　松はめくし*も*　少女子*よ　な*か家つと*に　いさといはなん

【大意】小勝間の松には心惹かれるなあ。（わが恋人の）少女よ、あなたの家への土産に、この松ぼっくりをさあ（持って帰ろう）といっておくれ（私の愛を示すプレゼントとして受け取っておくれ）。

【解説】乙女には持って帰るのが困難な松の枝を土産にぜひというのは諧謔か。松ぼっくりならば持って帰れるが。「かつま（勝間）」の原義が竹の籠（「玉勝間」等）ということも解釈に関係するかもしれない。

全体に『万葉集』雄略天皇「籠もよ美籠持ち堀串もよ美堀串持ちこの丘に菜摘ます児家聞かな名のらさね……」の気分を漂わせている。

〔武田道年〕

＊めくし　愛し。いとおしい、かわいらしいの意。万葉集「めこみればめぐしうつくし」。直接には松に対する愛情だが、少女に対する気持ちも掛けている。

＊も　万葉調の詠嘆の終助詞。

＊少女子　乙女子。少女。

＊な　なんじ。あなた。

＊家つと　「つと」は苞。わらなどを束ねて、その中に食品を包んだもの（わらづと）の原義から、広く土地の特産、土産物をさす。万葉集「家づとに貝そ拾（ひり）へる浜波はいやしくしくに高く寄すれど」。

「松」に恋人を「まつ」意を掛けて、神代の風韻を備える松のもとに、古代風の求愛の場面を設定した。

＊いさ　「いざ」。「さあ」と呼びかけ、せき立てる感じ。「いさ」は別語。ここは、『伊勢物語』「栗原の姉歯の松の人ならば都のつとにいざといはましを」を意識する。ただし、『伊勢物語』の方は、田舎女をからかった歌だが、こちらは乙女子への求愛が詠まれている。

＊なん　なむ。動詞の未然形に接続して、あつらえ望む意味を表す終助詞。……してほしい。

〔宍道湖〕

＊宍道湖　島根県北部、松江市から出雲市に至る巨大な湖。沿岸の「宍道（郷）」の地名にちなむ。江戸初期にはこの呼称が定着。

＊意宇湖　「意宇（郡）」に由来する古名。古代は「おうのうみ」と呼んだ。『出雲国風土記』では宍道湖、中海をあわせて「入り海」と呼んでいる。

＊碧雲湖　大橋鱸網由緒の頭注を参照。

＊意宇　現松江市南部、安来市等。以下の五郡は、風土記時代から明治初期まで用いられたもの。一八九六年、意宇郡、島根郡、秋鹿郡は合併して八束郡になる。

＊島根　現松江市北部。

＊秋鹿　現松江市北西部。一部出雲市。

＊楯縫　現出雲市平田町周辺。一八九六年、楯縫郡、神門郡、出雲郡は合併して簸川郡になる。

＊出雲　現出雲市の旧市域や斐川町等。

＊里　一里は約三・九キロメートル。

＊夜雨島　嫁が島。『出雲国風土記』意宇郡では、「蚊島（かしま）」。「蚊」が同音の「嫁」と表記され、さらに訓読みして「よ

第五勝　宍道湖　山水斯くの如きは天下に無し

め」になったと思われる。夜雨島は他文献に見えず、不審。単なる当て字か。

＊数幹　幹は、日本では樹木を数える量詞。

＊神女ノ廟　竹生島神社。弁財天を祭る。堀尾吉晴の孫忠晴が一六一一年市杵島姫命を厳島神社から勧請したという。古代から現在に至る経緯は複雑だが、要するに、宍道湖を象徴する女神が祭られているのである。

＊小媛山　三瓶山。『出雲国風土記』の国引き神話では、「佐比売山」と表記する。

＊角盤山　大山の別名。『大山寺縁起』等参照。

＊皇国十二景　芭蕉と同時代に日本全国を行脚した俳人、大淀三千風の『日本行脚文集』の序に、「本朝十二景」として、第一田子の浦（駿河）、二松島（奥州）、三箱崎（筑前）、四橋立（丹後）、五若浦（紀伊）、六鳰湖（近江）、七厳島（安芸）、八蚶象（出羽）、九朝熊（伊勢）、十松江（出雲）、十一明石（播磨）、十二金沢（武蔵）を挙げている。明治初期にも同様の言い方がされていたのであろう。

○宍道湖

一名ヲ意宇湖、又碧雲湖ト曰フ。意宇、島根、秋鹿、楯縫、出雲ノ五郡ヲ以テ、之レヲ包メリ。長サ五里、幅一里餘、周回八十一里ニ下ラズ。中ニアル一嶼ヲ夜雨島（嫁島）ト曰フ。老松数幹アリテ、神女ノ廟ヲ建ツ。西ニ屹ツ一峯ヲ石見ノ小媛山トシ、東ニ聳ユル一嶽ヲ伯耆ノ角盤山トス。皇国十二景ノ其一ニシテ、済勝ノ士ハ四時ヲ別タズ、朝ニシテ舟ヲ泛ヘ、暮ニシテ棹ヲ停ム。

【大意】別名を意宇湖、また碧雲湖という。意宇、島根、秋鹿、楯縫、出雲の五つの郡に囲まれている。長さ五里、幅一里あまり、まわりは十一里以上である。湖の中にある一つの島を「よあめしま」（嫁島）という。島には、年を経た松が数本植わっていて、神女を祭る社が建っている。湖の西の方にそびえ立つみねは、石見（島根県西部の旧国名）のさひめ山（三瓶山）であり、東の方につきでている高山は伯耆（鳥取県東部）の角盤山（大山）である。いわゆる皇国十二景の一つで、名所観光が好きな人々が、春夏秋冬一年中、朝に夕べに、舟に乗り、湖心に浮かんで、その景色を味わっている。

【解説】「宍道湖」は、言うまでもなく、島根県北部、松江市から出雲市に至る巨大な湖。沿岸の「宍道」の地名にちなむ。江戸初期にはこの呼称が定着した。
嫁が島など、松江から船を繰り出して見える景色の素晴らしさを強調する。他の景勝と比べて、太古の宍道湖に関する記述は殆どなく、まずは眼前の宍道湖の風景を享受すべきことを暗に提言しているようであり、それにふさわしい作品を選んでいる。

松江日霽放軽航*
四面雲山与水蒼
樹杪*楼抽鴟尾*小
波心橋臥蟒*身長
此遊帰国為談柄*
他日思湖竟夢場*
衰折*自悲難再会
幾珠*老涙迸斜陽

頼　杏坪

松江日霽れて軽航を放つ
四面の雲山水と与に蒼し
樹杪楼は抽きんづ鴟尾小さく
波心橋は臥す蟒身長し
此の遊国に帰れば談柄と為らん
他日湖を思えば竟に夢 場
衰折自ら悲しむ再会し難きを
幾珠の老涙か斜陽に迸る

【大意】このところ雨続きだった松江、今日はからりと晴れ渡ったので、宍道湖に小舟を浮かべて波に揺られる。湖のぐるりの雲や山は、水と一緒くたになって一面の青。こずえの向こうに松江城がぐんと伸

〔頼杏坪〕
＊軽航　軽舟。
＊樹杪　杪もと抄に誤る。下句の波心の対としては杪（こずえ、枝の末端）が望ましい。
＊鴟尾　古代の宮殿や寺院の大棟の両端に据える、飾り瓦。魚の尾をかたどったものといわれ、防火のまじないとした。ここでは松江城のしゃちほこ。
＊蟒　うわばみ。大蛇。大きな橋の形容。
＊談柄　話柄。話題。
＊夢場　「一場の夢」を転倒した表現。
＊衰折　衰えること。「折」は、志半ばに倒れるニュアンス。
＊珠　真珠のたまを、涙にたとえる。

＊迸斜陽　涙がほとばしる。大げさなようだが、唐詩ではよくある表現。

びていて、小さなしゃちほこが見える。あちらで波が立っている、そのど真ん中には、松江大橋がかかっていて、大蛇が長く横たわっているかのよう。このたびの旅行は、故郷の広島に帰ってから、話の種になるほどの貴重な体験だった。将来この湖を思い起こしても、夢の中の世界だったかと思うことだろう。おとろえはてた私は、もうこの景色には二度と出会えないだろうことを独り悲しんでいると、夕陽に向かって、老いた私の涙が、何粒かほとばしり出たことだ。

【解説】頼杏坪（一七五六〜一八三四）は、江戸時代中後期の儒者。頼山陽の叔父。安芸広島藩士で、江戸で学んだ後、藩の儒官となり、三次町奉行などをつとめ、民政につくす。その著、『春草堂詩鈔』によれば、詩僧日謙（道光）を尋ね、松江藩を訪れた時の作品がいくつか見いだされるが、この詩は所収されない。どうも揮毫、草稿の類いが、松江のどこかに残されていたかのようである。松江の漢詩結社剪淞吟社の機関誌『剪淞詩文』所引のこの詩も、「杪」を「抄」と間違えており、同一の材料に依っていたことをうかがわせる。

江戸時代、他国の著名詩人が訪れることが少なかった松江、宍道湖。幕末明治誰もが知るビッグネームであった、頼山陽の叔父（彼自身も著名だが）が訪れて、目前の実景に感動して詠んだこの漢詩は貴重なものとして、星野は宍道湖にまつわる詩歌の冒頭に冠したのであろう。

釈天鱗（一）

淡青濃緑画難摹　淡青濃緑は画くも摹し難し
山水如斯天下無　山水斯くの如きは天下に無し
長恨坡公生異域　長えに恨む坡公異域に生まれ
枉教佳句属西湖　枉しく佳句をして西湖に属せ教むるを

【大意】宍道湖の、淡い青色や、濃い緑色が織りなす美しさは、絵で表そうと思ってもとても写せない。こんなすばらしい山水は、天下でここ以外にはない。かえすがえすも残念だ、蘇東坡が、異国に生まれて、宍道湖を知らないままに、そのすばらしい作品をむなしく西湖にのみ捧げているのは。

【解説】他郷の頼杏坪による詩に対して、地元出雲の代表選手である天鱗の詩が、連作三首で登場。中国の名勝地西湖に勝るとも劣らない松江の宍道湖が、文人たちに知られずにいる無念さ、そして多くの人にこの名勝を知ってもらいたい願いが込められている。

〔釈天鱗・一〕

＊淡青濃緑　蘇軾が江南杭州の名勝地たる西湖をたたえた「湖上に飲む。初め晴れて後に雨ふる二首」を意識する。其一「淡粧濃抹総べて相い宜し」。

＊山水　詩では多く山水画を連想せしめる。

＊天下無　楊維楨・西湖竹枝歌其一「江南の西湖天下に無し」。

＊坡公　北宋の文人、蘇軾に対する後人の敬称。蘇軾は東坡居士と号した。

＊異域　他郷、外国。ここでは日本を指す。王維・秘書晁監の日本国に還るを送る「別離方に異域、音信若為れぞ通ぜん」。

＊枉教　むなしく……させる。……しても何の意味もない。

左右層巒*列画図
直西只見碧波舗*
浮空一抹*何村樹*
烟翠*依微*認却無*

（釈　天鱗　二）
左右層巒画図を列べ
直西只見る碧波の舗くを
空に浮かぶ一抹は何れの村の樹ならん
烟翠依微として認むるも却って無し

【大意】　左右の重なる山々は恰も絵を並べたかのよう。真西には、みどり色の波が広がるのが見えるだけ。空中に浮いている、一筆さらっと描いたようなあれは、どこの村の木だろう。もやにおおわれたみどりの山々の中に、ぼんやりとそれが見えたかと思うと、また消えてしまった。

〔釈天鱗・二〕
*層巒　「層」は、かさなる。「巒」は、くねくねと続く山並み。
*舗　石畳を敷き詰めるように広がること。
*一抹　筆でさっとはらったような一片。
*何村樹　村のまわりに植えられた樹木。村のランドマークとなる。
*烟翠　ぼやっとした青みをおびたもや。
*依微　ぼんやりとして、はっきりしないさま。
*認却無　認は認識。あの村の木だと認識すること。

湖上寒威霽更添
銀濤乱走北風厳
夜来新下僊峯*雪
削出雲間*白一尖

（釈　天鱗　三）
湖上の寒威霽れて更に添え
銀濤乱れ走りて北風厳なり
夜来新たに下る僊峯の雪
削り出だす雲間白一尖

【大意】　宍道湖畔の寒さは、晴れあがれば更にその威力を増す。北風が激しく吹き付けるので、銀色の波濤はめちゃくちゃにあちこちへ走

〔釈天鱗・三〕
*僊峯　「仙峰」の異体字。大山の峰。大山は「大仙」とも表記する。
*雲間　雲の間に見える天を指す。

りまわる。昨夜、大山に雪が降ったばかりで、雲の間に白い頂が削り出されたかのように聳えている。

洵美非凡境
蓴鱸也可誇
暮帆争一港
秋水照千家
遠岳装軽雪
疎楓畳断霞
倚欄唫不尽
只惜夕陽斜

松田　淞雨

洵に美にして凡境に非ず
蓴鱸も也た誇る可し
暮帆一港を争い
秋水千家を照らす
遠岳軽雪を装い
疎楓断霞を畳む
欄に倚りて唫じ尽くさず
只惜しむ夕陽斜めなるを

【大意】宍道湖、これぞ真の美、人間世界のものではない。ここで採れる蓴菜や鱸のうまさも自慢するに値する。暮れには、帆舟が港に向かって、一斉に争うように帰路を急ぎ、秋の気配深い湖面に夕陽が照り返して漁村の家々を染める。遠い峰々には、うっすらと雪が積もり、落葉してまばらに残るかえでの木に、途切れ途切れの夕靄が幾重にもかかっている。湖の側の東屋の欄干に寄りかかりながら、感極まって

〔松田淞雨〕

＊洵美　詩経・静女「洵に美にして且つ異なれり」。鄭箋「洵は信なり」。

＊凡境　本来は平凡な境地の意であるが、仏教、道教等宗教的見地から、俗界、人間界を指すようになった。

＊蓴鱸　蓴菜と鱸（実は中国の鱸は、日本のスズキと違う）。秋の風物。晋の張翰の故事で有名。

＊暮帆　夕暮れに帆を上げて帰ってくる舟。

＊争一港　争は、争って求めること。一対象に殺到すること。

＊軽雪　ちらほらと降りつつある雪、あるいはうっすらと降り積もった雪。

＊畳　重畳、かさねること。

＊断霞　きれぎれの夕焼け雲。

＊唫不尽　「唫」は、「吟」の異体字。吟じ終わらないではなく、いろいろな思いをとうていすべて吟じ尽くせないという意。

詩を吟ずるが、この気持ちは吟じ尽くせない。夕陽が斜めになってもうすぐ帰らなければならないのがひたすら残念でたまらない。

【解説】松田淞雨（一八四五～一九二三）、名は敏、字は訥卿、松江の人。雨森精翁・澤野含斎に従学し、詩を苔洲・枕山・松塘・黄石に学び、吉岡星秋と並称さた。大原郡長、浜田、横浜の典獄をつとめる。晩年は、東京に住む。著書『禹域遊草』（一九一五）は、一九一三年の中国旅行の詩を集めたもので有名。

三島　雲涯

汀烟*破処*露孤城*
目送*帰帆立晩晴
浅碧濃紅春遠近
夕陽三十六湾*明

汀烟破る処孤城を露し
目送す帰帆晩晴に立つを
浅碧濃紅春遠近
夕陽三十六湾明らかなり

【大意】渚のもやが切れるあたりに松江城がぽつんとあらわれる。私は帰る舟の帆を目で追いながら、晴れた夕暮の中立ち尽くす。あわいみどりにこいくれない、春の気分は遠く近くあちこちに。夕陽を浴びた沢山の入り江が明るく耀いている。

【解説】三島雲涯（一八五二～一九一〇）は、本名三島左次右衛門。

〔三島雲涯〕

＊汀烟　「烟（煙）」は、もや、かすみのこと。

＊破処　「林間に酒を煖め紅葉を焼く」の句で有名な、白居易・王十八の山に帰るを送る、題を仙遊寺に寄す「白雲破るる処洞門開く」。

＊孤城　本来、中国では辺境の孤立した城塞や町をいう。ここでは、他の建造物を圧倒して、独り屹立した松江城を指す。

＊目送　世説新語・巧藝「顧長康画を道う。手五弦を揮うは易く、目帰鴻を送るは難し」が出典。

＊三十六湾　「三十六」は、実数ではなく多くの数を表すときによく使う。「湾」は、川や湖のへこんだところ、港があるところ。

〔島重養〕

＊日なみ　日並みは、本来は毎日の意。俗に、日の吉凶、天候のよしあしの意味となった。

〔松井言正〕

＊いさ清き　潔き。「いさ（甚だの意か）」＋「清し」と分解できるので、このように表記したか。汚れがない。清浄だ。本来は、人格の高潔に対してではなくて、

明治時代の実業家。明治二十二年松江銀行、二十九年山陰貯蓄銀行の設立に参画、のち頭取。松江商業会議所会頭、松江市収入役、県会議員をつとめた。名は粲。号は、雲涯の他に睡雨。

島　重養

漕つれし　宍道の海の　早舟は　あるゝ日なみ＊も　時をたかへす

【大意】並んで漕いでくる宍道湖の早舟は、どんな荒れた天候でも、遅れずにやってくる（それなのにあなたときたら、約束を破ってばかり）。

【解説】二つの船が「つれ」ているところに、男女の恋愛の意を潜めているようだ。「早舟」は、船足の速い小舟。動物や乗り物が、時刻や約束を守るのにと詠んで、恋人が逢瀬にやってこない不実を暗になじるのは、和歌の常套。

松井　言正

いさ清き＊　宍道の湖に　てる月は　君か千年の＊　境＊也けり

【大意】透き通るような宍道湖に万古不変に照る月、この風景こそ、清らかな気持ちで千年も万年も生き続けるあなたの境地を象徴するも

のなのだと思います（この風景のような高雅な境地で長生きされますように）。

【解説】君は天皇のことではあるまい。特定の恋人（あるいは目上の人）に対して、長寿を祈る気持ちが重ね合わされていると考えたい。島重養の歌を受けて、かわらぬ恋の成就を、永遠に続く宍道湖と月とに託したのかもしれない。

長谷川（はせがわ）　龍衛（たつえ）

佐比売山（さひめやま）*　大神山（おおがみやま）*も　遠しろく（とおじろく）*　たかねうつせる　意宇の湖（おうのみずうみ）

【大意】三瓶山、それから大山も、遠く白くくっきりと、その壮大な高峰を水面に映している、この宍道湖よ。

【解説】晴れた日には、宍道湖上で、この二つの山を確かに見ることができる。湖に映るかどうかはともかく。二つの山を並べて詠むのも、恋の気分を重ね合わせているか。

松江（まつえ）　梅圭（ばいけい）

雲（くも）ぬける　月（つき）の勢ひ（きおい）*や　猪道湖（ししじうみ）

【訳】宍道湖上で、覆われていた雲を突き抜けてあらわれた月の勢い

景色の清らかさに対して言う。

*千年　古今集「渡つ海の浜の真砂を数えつつ君がちとせの有り数にせむ」。長寿を祈り、寿ぐ際にしばしば使われる歌語。

*境　すぐれた境地、世界。

〔長谷川龍衛〕

*佐比売山　石見国三瓶山の古名。『出雲国風土記』の国引き神話にあらわれる。大田市に佐比売山神社がある。

*大神山　伯耆国大山。国引き神話では「火神岳（ほがみだけ）」としてあらわれる（一本に「火」を「大」に作る）。米子市に大神山神社がある。

*遠しろく　万葉語としては、雄大である、くっきりしている。ここでは「遠く白い」という気持ちも兼ねて、積雪で白く見える山を描写しているか。

〔梅圭〕

*勢ひ　強い勢い。気勢。もとは「きほ

（競）ふ」の連用形の名詞化。優劣、強弱、先後などを争うこと。はりあい。猪とは違うが、歌舞伎の演目で、雄壮な獅子舞の場面がある「勢獅子（きおいじし）」も意識するか。

がすごい。その名も猪の通る道という意味の『宍道』にふさわしい、猛烈な速さだ。

【解説】梅圭は、姓は曲川と同じ山内らしいが、不詳。『風流新誌』に作品が載る。

「猪道湖」は、「宍道湖」にわざと「猪」の字をあてて、「ししぢ」と読ませる。月が天空を渡っていく速さを、猪突猛進と関連づけたのであろう。天空の雲や月の動きが、宍道湖の水面にありありと映っているさまを詠んでいるのかもしれない。季語は月（秋）。

第六勝　御井神社　神の産湯井

○御井
出雲郡*、下直江村*、御井神社境外ニ三井*アリ。一ハ方四尺、一ハ方五尺、一ハ方三尺ニシテ、共ニ井幹*ナシ。唯藩籬*ノ之レヲ繞クルノミ。神代*、大己貴命、稲葉八上姫ヲ娶リ、結ノ里*ニ於テ、木俣神*ヲ産ム。

〔御井由緒〕
*出雲郡　今の出雲市の一部。
*下直江村　今の出雲市斐川町直江。
*三井　生井、福井、綱長井と名付けられて、神社の周囲に散在。御井と三井は発

音が同じだが、関係は不明。方四尺、五尺、三尺の井戸のそれぞれが、どの井戸に当たるかも、よくわからない。
＊井幹 井韓とも書く。井桁。
＊藩籬 竹で編んだかきね。
＊神代 人の世に先立つ時代。神武天皇以前。
＊結ノ里 神社付近に今も「結」の地名が残っている。二柱の神がここで「結」ばれたという伝承による。
＊木俣神 「きまた」、「きのまた」等の読みもある。
＊霊水 神仏の加護を受けて、病気治癒、安産などに霊験あらたかな水。

是(こ)レハ則(すなわ)チ神(かみ)ノ産湯井(うぶゆい)ナリ。実(まこと)ニ霊水(れいすい)＊トイフ(う)ヘ(べ)シ。

【大意】出雲郡下直江村の御井神社の周囲に三つの井戸がある。一つは四尺四方、一つは五尺四方、一つは三尺四方で、どれも井桁はなく、ただ生け垣がまわりを囲っているだけである。神話時代、大己貴命（大国主命）が稲葉八上姫と結婚し、八上姫はこの近くの結の里で木俣神を出産した。これらの井戸こそが、木俣神が産湯に使った井戸である。まことに、くすしき水と称するに値するものである。

【解説】御井神社は、現在は、島根県民にもあまり知られていない。田の中に目立たない形でたたずんでいる。まわりの三つの井戸とセットになっているのが面白い神社である。

『古事記』によれば、大国主命（大己貴命）は兄たちと争って、八上比売を最初の妻としたが、命が須勢理毘売(すせりひめ)を正妻に迎えたため、これを恐れて、子を木の俣にさしはさんで実家に帰ってしまった。それで、その子を名づけて木俣神と呼び、また御井の神とも呼んだという。この神話に基づく神社が御井神社である。御井神社の名は、『出雲国風土記』にも記載。由緒に因んで、安産祈願の神社として、かつては有名であった。

三島雲涯

神跡*猶伝御井*名　神跡猶お伝う御井の名
苔甃*緑湿水盈々　苔甃 緑湿い水盈々たり
荒垣*今日無人補　荒垣今日人の補う無く
立聴*青蛙*喚雨*声　立って聴く青蛙喚雨の声

【大意】木俣神の降臨された名残として、「御井」神社の名前が今なおのこっている。苔の生えた井戸の敷石は、緑色に濡れて、水を満々とたたえている。現在、荒れた塀は誰も修理をせぬままにほったらかしにされている。独り私は立ち尽くして、蛙たちが雨の降るのを誘うかのように、鳴き声をあげるのを聞くのみである。

【解説】当時、この神社および井戸はあまりかえりみられていなかったことがわかる。苔とあれた垣根に、太古の世界と現実との隔たりを感ずる。それでも、自然は過去から未来まで、永遠に運行しており、井戸は水をたたえ、梅雨になれば蛙が鳴き出す。

島　重養

木俣の　神の産湯の　むかしさへ*　くみとる御井の　松の下水*

【大意】木俣神がつかった産湯を古代もここからくみ取っていたとい

〔三島雲涯〕

*神跡　神の足跡。引いて神の事蹟。

*御井　漢語としては、皇帝（天皇）の使用する宮中の井戸という意味になる。

*苔甃　甃はいしだたみではなく、井戸の敷き瓦のこと。ただし、甃（仄声）では平仄が合わない。愁（平声）と混乱したか。あるいは同義の磚（平声）のあやまりか。

*荒垣　垣は本来土塀の意味だが、ここは由緒にある「藩籬（かきね）」のことであろう。

*立聴　立ち尽くしてぼうっとして聴くこと。

*青蛙　みどりいろの蛙。アマガエル、トノサマガエル。

*喚雨　中国の俗諺では、鳩が鳴けば雨が降る。詩語では、「鳩喚雨」等の形で用いる。

〔島重養〕

*さへ　添加の意、現在も水を汲んでいるが、上代もやはり、という気持ち。

*下水　物の陰や下を流れる水。和歌では、

心の中のひそかな思いを比喩する語として用いる。

〔島多豆夫〕
＊御井の真清水　おそらく、『万葉集』・藤原宮御井歌「御井之清水」（賀茂真淵訓）を流用。

う、眼前の御井の井戸。水がわきこぼれて、松の木の下を人知れず流れている（この井戸を見ていると、木俣神を棄てて帰って行った、八上媛のあれこれの心情が忍ばれることだ）。

【解説】「の」の連続によって醸し出される神話世界へのとりとめのない思いが、「水」を通じて眼前の風景につながっていく。

「松」は、「待つ」との掛詞。八上媛の、心ならずも大国主命と別れざるを得なかったが、なお大国主命との逢瀬を『待つ』気持ち。

島（しま）　多豆夫（たずお）

木俣（このまた）に　かくれて蝉（せみ）の　はふ（う）かけ（げ）も　うつりて清（きよ）し　御井（みい）の真清水（ましみず）

【大意】木の枝の間に隠れて、蝉が這っている。その姿さえもはっきり水面に映って、ますます清澄透明に感じられる、この御井の井戸の清らかこの上ない水は。

【解説】蝉といえば、空蝉、蝉の衣、蝉の声等が伝統文学の材料となるが、この歌は、蝉が這うところに着目して、常套を脱した新味をだそうとしたのではないか。

　島重養の作が、神話を題材にし、恋を思わせるのに対して、眼前の描写に徹した、写実的な作法。とはいえ、「木俣」、「御井」と、神話世界を枠組みとしており、蝉が古代から伝わる何者かの象徴のように思われ、近代短歌の写実とは趣を異にしている。

第七勝　陰陽石　なりなりてなりあまる石

○陰陽石

秋鹿郡*、古浦*ニアリ。偕ニ天然ノ巨岩ニシテ、陽石ノ高サ一丈*、海上ニアリ、陰石ノ高サ二丈、海岸ニアリテ、相ヒ対峙ス。其距ル事、凡ソ十間。北風岸ヲ打テ、水波鳴ル。陽石ノ下部ニ、海苔、貝殻ヲ纏

〔陰陽石由緒〕

*秋鹿郡　現松江市北西部。一部出雲市。
*古浦　現松江市鹿島町古浦。
*一丈　一丈は約三メートル。
*玉茎玉門　共に漢語。日本でも、十世紀

ヒ、陰石ノ上部ニ、蘆葦、滴水ヲ帯フ。形状恰モ玉茎玉門*ノ如シ。社アリテ伊弉諾、伊弉冊*ノ二尊ヲ祭ル。

【大意】陰陽石は、秋鹿郡古浦にある。二つとも自然に出来た大岩であり、陽石の高さは一丈で海中に聳え、陰石の高さは二丈で海岸に立ち、お互いに向き合っている。両者の距離はおよそ十間。北風が海岸にぶち当たって、波の音が轟く。陽石の下部には、海苔が広がり、貝殻をその上に沢山つけている。陰石の上部には、アシが生えていて、わき水の滴にしとどに濡れている。形状は、まるで男性器、女性器のようだ。神社があって、イザナギ・イザナミの二神を祭っている。

【解説】陰陽石の陽石は、現在古浦海水浴場の西約二キロメートルに位置する男島。陰石はその南に位置する海岸上の巨石。陸上からは、近づきにくく、挿絵のように、もっぱら海上から参拝したらしい。明治期は、日本海の海上交通が盛んであったから、古浦や恵曇港を訪れる際の目印であったのだろう。宮武外骨『猥褻風俗史』（雅俗文庫明治四十四年）には、『出雲名勝摘要』のこの部分が引用されており、全国的にも知る人ぞ知る景物だったと思われる。日本各地に陰陽石の類いは多い。

の『和名抄』や十一世紀の『医心方』に見える由緒正しい語。

＊伊弉諾、伊弉冊　「伊弉冊」の「冊」は、本来「冉」に作るべきだが、日本では、古来、両字は混用されている。なお、現在、「社」は見当たらない。

島　重養

おのつから　か丶る形ちも　なり〳〵て　なりあまる石　なりあはぬ石

【大意】自然とこんな形が出来上がっていったのだなあ。「なりなりてなりあまる」陽石と「なりなりてなりあわぬ」陰石とは。

【解説】いうまでもなく、『古事記』の所謂国土生成の段の、イザナギとイザナミとの間で行われた「みとのまぐわい」の前の会話をほぼそのまま用いて、うまく組み合わせている。

自然の造化の不思議に対する感動と神話世界との融合を目指したのであろう。

松江　曲川

浪にそふ　陰陽石や　初日かけ

【大意】浪のそばで、夫婦が寄り添うようにしている陰陽石。そこに、今年初めての日の光が当たる。

【解説】初日の光によって、陽石は陽にふさわしく明るく、逆に陰石は日陰になって暗く見えるコントラストにおもしろさを感じているのかもしれない。陰陽五行説や日本神話に見られる万物創成の伝説を背景に、新しい年のはじまりの気運をことほいでいる。季語は、初日かげ（新年）。

〔島重養〕

***おのつから**　固い言葉なので、歌語としては用いられないようである。上古風。

***か丶る**　「かかり」は、「斯くあり」が縮まったもの。万葉調の固い言葉。まさか、こんな事があろうとは、という驚きの気持ちがこめられている。

***形ち**　歌語では、容貌の意でしばしば使われるが、ここは形状や姿。これも上古風。

***『古事記』**　伊邪那美（伊弉冉）「吾が身は成り成りて成り合わざる処一処在り」。伊邪那岐（伊弉諾）「我が身は成り成りて成り餘れる処一処在り」。

〔曲川〕

***そふ**　直接には浪に寄り添うことであろうが、陽石、陰石二つの石が仲良く寄り添っていることも掛けているであろう。

***初日かけ**　「かげ」は光、日光のこと。したがって初日と同意。

第八勝　猪石　大国主命の狩猟跡

○猪石

意宇郡*、宍道村*ニ二石アリ。一ハ長サ二丈七尺*、高サ一丈、周回五丈七尺ニシテ、一ハ長サ二丈五尺、高サ八尺、周回四丈一尺ナリ。神代大己貴命*獵リセント欲シ、野ニ出テゝ、猪ヲ逐フ。其猪走リ

〔猪石由緒〕

＊意宇郡　現松江市南部、安来市等。

＊宍道村　現松江市宍道町。ただし、現在の猪石（女夫岩遺跡）の所在地は松江市宍道町白石。後の犬石と同じ地域に属す

る。宍道村（当時）経由で行く場合が多かったので混乱したのであろうか。あるいは「宍道」の語源説明のためであろうか。

＊二丈七尺　以下の長さや高さの記述は、『出雲国風土記』そのままである。尺貫法では、一丈約三メートル、一尺約三〇センチメートルであるが、古代の値は、その三分の二くらいであったと思われる。

＊大己貴命　大国主命の数多くある異名の一つ。『日本書紀』や『古事記』にあらわれる。『出雲国風土記』では、「大穴持」、「天の下造らしし大神の命」としてあらわれる。狩猟をして猪を追うのは、軍神としての側面か。

＊佐為谷　現松江市宍道町白石。江戸時代は才谷と表記された（才の神＝サルタヒコと関係があるか）。南側の山に、佐為神社がある。ただ、女夫岩遺跡は、才谷の西側かなり遠くに位置して、しかも高所にあるので、何らかの誤解があるものと思われる。

逃ケ、佐為谷ニ＊至リ、化シテ石ト為ル。是レ即チ其石ナリ。形チ絶ダ類似ス。村名ヲ宍道ト曰フハ、ソレコレニ由ルカ。

【大意】意宇郡、宍道村に二つの巨石がある。一方は、長さが二丈七尺、高さが一丈、ぐるりが五丈七尺。もう一方は、長さが二丈五尺、高さが八尺、ぐるりが四丈一尺である。神々がいた古代、オオナムチ（大国主命）が狩猟をしようとして、原野に出陣して、イノシシを追跡した。そのイノシシは走って逃げて、佐為谷にたどりついたところで、石に変わった。それがこの猪石である。その形は確かに非常にイノシシに似ている。村の名前が宍道＝イノシシが通った道というのも、この猪石の故事に由来するのであろうか。

【解説】この由緒は『出雲国風土記』意宇郡・宍道郷の記述とほぼ同じ。数値に至ってはそのままで、『風土記』の度量衡は明治時代と違うことを無視している。猪石の所在については諸説があるが、挿絵の猪石図から明らかに、本書は現在女夫岩遺跡と呼ばれる古代の巨石信仰跡に比定している。女夫岩遺跡は、二つの石が左右に密着して並んでいるのだが、挿絵は、不審なことに、その左側の石一体しか描いていない。元の図を真ん中から半分に切って印刷してしまったのだろうか。

島（しま）多豆夫（たずお）

大神（おおかみ）*の　御狩（みかり）*のあとを　しのふれは　猪像（ししかた）なせる　石（いし）はありけり*

【大意】オオナムチの神様が狩をなさったあとはどこであろうかと慕って探しに行ったら、伝説通り、イノシシの形をしている石があったことだよ。

【解説】当時は宍道の町から、はるばる奥深い山の中を訪ねていく感覚があっただろう。やっと、目指す猪石が見つかって、いよいよ歌会を始めようかという時の第一首だと思われる。

武田（たけだ）道年（みちとし）

八千矛（やちほこ）*の　神（かみ）のおはしゝ*　しゝかたは　今（いま）も宍道（しんじ）の　郷（さと）に残（のこ）れり*

【大意】多くの武器を携えたいさましいオオナムチの神が追いかけられたイノシシ、そのイノシシが変化した石は、いまも、その名も「ししじ（イノシシの走った道）」のさとに残っている。

【解説】

猪石到着後の興奮も落ち着いてきて、石から古代伝説の世界が浮かび上がってくる。出雲神話という不可解、不合理な世界を、どうやって目の前の現実と折り合わせようか、考えあぐねている。神話の実在

〔島多豆夫〕

＊大神　神を崇め奉った言葉。古代風。万葉調。

＊御狩　神や天皇、皇族の挙行した狩猟を敬った言葉。

＊石はありけり　「けり」は発見の驚きを込めた詠嘆の助動詞。

〔武田道年〕

＊八千矛　大国主命の別称。『古事記』に見える。多くの矛という意味から、軍神・武神としての神性を表していると思われる。

＊おはしゝ　「おはしし」が、次の「ししかた」を呼び起こし、さらに「宍道」の「しし」につなげる。『古事記』雄略「やすみししわが大君のあそばしし猪の病み猪のうたき畏み我が逃げ登りしあり丘の榛の木の枝」の「し」の連続をまねたのであろう。

を眼前の石で証明し、納得しようとするこれまた不合理な思考回路。そもそも、大国主命は、獲物として猪をとらえたのだから、その猪が石になっているのはおかしいではないか。

島(しま) 重養(しげかい)

大神(おおがみ)の　御狩(みかり)におちて*　猪石(ししいし)は　佐為谷(さいだに)*に社(こそ)　たちひそみけれ*

【大意】オオナムチの神が直々になさったご狩猟におびえ恐れて、石に変わった猪石が、いまも佐為谷にこっそり隠れて存在しているのだなあ。

【解説】猪が捕らえられたのに、石として残っているという伝説の不合理に対して、いや猪は逃げおおして、今もここに潜んでいるんだよと、これまた不合理な理屈で答えて、締めくくる。「不合理ゆえに我信ず」の、独特の境地に達するのである。

＊今も……残れり　藤原実頼「池水に国栄えける纏向（まきむく）の珠城（たまき）の風は今ものこれり」。

〔**島重養**〕

＊おちて　おづ。恐れてはばかる。

＊佐為谷　佐為谷は、前述のように猪石（女夫岩遺跡）からかなり離れており、何か誤認があるようだが、周囲をわざと人目につかぬ谷とみたてて、「たちひそむ」感じを強めた作為かもしれない。佐為谷に隠れていたイノシシが、大国主命に見つけられて、追われて今の地まで来たというような解釈は、歌として面白くないであろう。

＊たちひそみけれ　「たちひそむ」は用例を見ない。造語か。「たち」は強調であろう。

第九勝　月山　尼子富田城の月

○月山城墟
山ノ古名ヲ勝日山ト曰フ。能儀郡*、富田村*ニアリ。往昔、平景清*ノ築クトコロニシテ、建武中、塩冶高貞*之レニ居ル。文明ノ頃、尼子経久*勃興シテ之ニ拠リ、竟ニ中国ニ雄視セリ。永禄年間ニ至リ、晴久*、

〔月山〕
＊能儀郡　能義郡とも書く。『風土記』意宇郡所載の「野城駅」に由来するらしい。明治十二年に、広瀬町、安来町、母里村等数十町村の行政区画として、能儀郡が

成立し、郡庁が広瀬町に設けられた。現在では全域が安来市になった。

＊富田村　月山富田城といわれるように、富田の地名は古くからあったが、明治八年、牧谷村・山形帳村・新宮村が合併して富田村となる。十二年、能義郡管轄。二十二年、広瀬（町）、広瀬村等と合併して、広瀬町が発足。現安来市。

＊平景清　平安時代から鎌倉時代の武士。生没年不詳。藤原秀郷子孫伊勢藤原氏（伊藤氏）藤原忠清の子。源平の争いで平家に味方したため、俗に平景清と呼ばれる。その武勇から悪七兵衛の異名を持つ。壇ノ浦の戦い後捕えられて、自ら断食して死んだとされる。

＊塩冶高貞　?～一三四一。鎌倉時代後期から南北朝時代にかけての武将。出雲守護として、後醍醐天皇の挙兵に呼応。建武の新政ののちは、足利尊氏に味方し、南朝方制圧に力を奮ったが、一三四一年三月に京都を出奔すると、謀反として北朝に追討され、同年翌月出雲国で自害した。

＊尼子経久　一四五八～一五四一。戦国時

義久＊、毛利氏ノ囲ヲ受クト雖トモ、堅城利兵＊ニシテ、能ク七年＊ノ久シキニ耐フ。其後チ年ヲ経テ、堀尾氏＊ニ至リ、之レヲ島根郡＊、末次＊ニ移ツス。満山皆楓樹ニシテ、爛然ト霜ニ飽ク。其色渥丹ノ如シ。故ニ高秋ニ至レハ、名士ノ之レヲ探クルモノ多シ。

【大意】月山は、かつて勝日山という名前だった。能義郡富田村にある。その昔、平景清が築いた城で、建武年間（一三三四～一三三六）、塩冶高貞がここを本拠地とした。文明年間（一四六九～一四八七）、尼子経久が勢力を伸ばしてここを根城として、最後にはなんと中国地方全体を支配下におさめ、にらみを利かせた。永禄年間（一五五八～一五七〇）になると、後継の晴久、義久は、この城を毛利氏に包囲されたが、堅固な城壁、優れた武器があったので、七年間の長きにわたって、持ちこたえることができた。その後、何年もたってから、堀尾氏の時代になると、この城を島根郡の末次（すなわち今の松江城）に移した。山全体が、もみじに覆われ、霜が十分に降りると、燃えたようになり、つやのある濃厚な赤色を呈する。というわけで、天高く晴れ晴れとなった秋になると、高雅な趣味を持つ、著名な風流人がこの地をたくさん訪れてきた。

【解説】月山は、戦国時代の尼子の居城富田城の跡として著名。現在、

代の武将。山陰、山陽に兵を動かし、勢力は十一か国に及び、尼子氏の最盛期を築いた。安芸で大内氏と戦い、一五二五年、配下の毛利元就が大内氏に属したのちは毛利氏とも戦う。子政久陣没のため一五三七年隠退後も孫晴久を後見した。

＊晴久　一五一四～一五六〇。父政久早世のため祖父経久より出雲を中心とする山陰の支配権を継承し、一五四〇年、大内氏と結んだ毛利元就の居城安芸郡山を包囲したが、翌年毛利大内勢の反撃に敗走した。一五四二年、逆に大内義隆に出雲に侵入されたが、富田城に拠って防戦し、翌年撃退した。

＊義久　?～一六一〇。一五六〇年父晴久の死により出雲守護を継ぎ、毛利氏との戦闘を継続。一五六二年、毛利勢が出雲に侵入。翌年、支城白鹿城が落ち、富田城に孤立し、三年の籠城戦の末、一五六六年毛利氏に下った。

＊堅城利兵　「堅城鉄壁」と「堅甲利兵」を合成した、おそらく造語。

＊七年　籠城戦自体は三年。父晴久の時代から続いた毛利との攻防戦全体をさすか。

整備復興が進められている。勝日山は月山の古名で、『出雲国風土記』に「加豆比乃社」、「加豆比乃高守社」が載せられていて、それぞれ月山のふもと（または中腹）と頂上にあったと推測される。伝説では、やがて「加豆比乃社」は八幡社となり、さらに平景清が月山城を立てるにあたって、今の富田八幡神社の地に移された（現在は勝日神社が境内にあって、合祀の形になっている）。現在では、現八幡神社のある方の山が、勝日山と呼ばれるようになった。「月山」の名の由来は、麓の当時の広瀬の町（江戸時代洪水で現在地に移転）から見て、月が出る方向だったからであろう。月山の山頂（勝日高守神社）は、吐月峰とも呼ばれた。はじめは「つきやま」と訓読みで呼ばれていたのかもしれない。「がっさん」と呉音漢音混用で読むのは不思議だが、これは古代から著名だった、出羽三山のうちの月山（がっさん）の読みを借用したのではないか。旧名「かつひやま」の「かつ」に合わせようという気持ちもあったか。山名の由来や変遷については確実なことはわからないが、以上述べた音の類似等は、この項の和歌・俳諧を読むうえで考慮しなくてはならない。

「満山皆楓樹ニシテ、爛然ト霜ニ飽ク。其色渥丹ノ如シ」は、齋藤拙堂＊「箕面山に遊んで遂に京に入る記」の句をほとんどそのまま用いる。

拙堂の文章によって、関西の僻地にあった箕面の瀧の紅葉は全国的に有名になったのだが、星野も月山の紅葉を観光資源化したかったのかもしれない。ところが、歌人・俳人達は、紅葉に一言も言及しないのはどうしたことか。

島(しま)　重養(しげかい)

子規(ほととぎす)*　鳴(なく)てふ(ちょう)*　富田(とだ)の月山(つきやま)は　花(はな)に雪(ゆき)にも　名(な)くはしき哉(かな)*

【大意】今は春だが、もう初夏のようにほととぎすが鳴いていると聞く、富田の「月山」。でも、ホトトギスが鳴く夏、月の美しい秋だけではなくて、春の桜、冬の雪に取り合せて歌を詠むのにもふさわしい、なかなか美しいひびきが「月山」の名にはあるのですよ。

【解説】道元「春は花夏ほととぎす秋は月冬雪さえてすずしかりけり」を意識するか。いずれにせよ、春夏秋冬、雪月花をすべて詠みこんだ言葉遊びの面が強い。秋の紅葉を詠んでほしいという、星野の依頼に対して、月山は、四季全部が素晴らしいとそらしているようである。

北島(きたじま)　三綱(みつな)

いにしへ(え)の　旗手(はたて)*もかくや　靡(なび)きけん　月(つき)やまさくら(ざくら)*　あらし吹(ふく)なり*

---

*堀尾氏　千鳥城の項参照。

*島根郡　『風土記』に載る、古代律令制から続く郡名である。近代の島根郡は、明治二十二年に発足した行政区画。明治二十二年、松江城下町の部分は松江市として独立し、郡と分離。

*末次　『風土記』に、「須衛都久社」が見え、古くからの地名。鎌倉時代から戦国時代にかけて、この地に末次城が置かれた。その場所については諸説あるが、亀山（今の城山、松江城）にあったという説が有力。現在の末次町ではない。

*齋藤拙堂　一七九七～一八六五。幕末の朱子学者。津藩士。『月瀬記勝』などの紀行文が有名。

〔島重養〕

*子規　ホトトギス。カッコウ科の鳥。アジア東部で繁殖し、冬は東南アジアに渡る。日本には初夏に渡来。キョキョキョキョと鋭く鳴く。和歌では、悲痛な鳴き声として詠まれることが多い。『古今集』「夏山になくほととぎす心あらば物思ふ我に声なきかせそ」。俳諧では夏の季語。山口素堂「目には青葉山ほととぎす初鰹」。

＊鳴てふ　「てふ」は「といふ」の縮約形で、伝聞の意だが、動詞を柔らかくあとに続ける働きがある。

＊名くはしき　「くはし」は美しい。よい名である。名高い。

〔北島三綱〕

＊旗手　長旗の風に翻る先端。はたあし。近世軍記物の常套句。

＊月やまさくら　江戸末期の松江藩歌人、森為泰に、「月山の桜を思ひやりて広瀬なるはらからのもとへ遣はしける　春の夜の月山さくら此ころは花もおぼろにさぞにほふらん」（『類題和歌集』）の一首があり、「月山桜」はすでに熟した語となっている。「遠山桜」、「深山（みやま）桜」等の歌語に倣って作られた合成語であろう。

＊あらし吹なり　嵐が吹いて花が散るという従来のパターンを破ったところに新味がある。「なり」は断定の助動詞。

〔島多豆夫〕

＊勝日山　月山の古名。次の「勝声」を呼び起こす。

＊勝声　鬨（とき）。戦争で勝ちを収めた時のかちどき。例えば「えい、えい、おう」。

【大意】昔の戦いでも、軍旗がこんな風になびいていたんだろうか。月山の桜に嵐が吹いているのである。その様が、軍旗と重なり合う。

【解説】前首を受けて、眼前の桜を詠う。いくさを歌うのは、本当は風雅な和歌にふさわしくないが、そこをあえてする。荒廃した城跡の桜に過去の幻影が浮かんだことに興趣を覚えている。桜を旗に見立てるのは奇抜。

島（しま）　多豆夫（たずお）

勝日山（かつひやま）＊　勝声（かちごえ）＊あけし＊　たゝかひの　昔（むかし）をそおもふ　弓（ゆみ）はりの月（つき）＊

【大意】勝日山で勝利のときをあげた、戦争のむかしのありさまが思い描かれる。この弓をはったかのような三日月をみていると。

【解説】前首を受けて、尼子が富田城包囲戦に勝った時のことを思いやる。それも、一時のことで、結局滅亡の悲劇が待っているのだが。

弓張月といえば、尼子十勇士の筆頭山中鹿之助が、三日月の前立てに鹿の角の脇立てのかぶとを用いていたことや尼子家再興のために「願わくば我に七難八苦を与えたまえ」と三日月に祈った逸話が有名。ここはそれを意識しているのかもしれないが、星野文淑の説明にも、他の作品にも鹿之助に触れていないので、関係ないのだろう。山中鹿之

＊あけし　「勝声」同様、「声」を「あげ」るはあまり歌語としては使わない。武張った表現をあえてした。
＊弓はりの月　弓を張ったような形をした月。上弦、または下弦の月。弦月。
〔武田道年〕
＊富田山　月山。
＊昔をとへは　ここの「とふ」は、「訪ふ」、訪れるの意味。
＊あそひし　「あそぶ」は、古語では、詩歌を作ったり、音楽を演奏したり、歌舞をしたりして楽しむことを言う。
＊跡　現在の月山には山中御殿と呼ばれる巨大な建造物の石垣及び平地が残っている。そのあたりを詠んでいるのであろうか。尼子晴久の時代に、都から連歌師を呼んで以後、この地では連歌がさかんになったという（『広瀬町史』）。
〔長谷川龍衛〕
＊光と　「と」は、……のように。引用の助詞だったのが、比喩をも示すようになった。
＊さゆる　冷たく凍るの意。月光などが白々と冷たく輝くさまをいう。

助は江戸期から人気があったはずだが、本格的な顕彰は明治以後に始まるようである。

武田　道年

富田山の＊　昔をとへは＊　武士の　月にあそひし＊　跡そ＊残れる

【大意】富田月山の昔をしのぼうと訪ねてみると、武士たちが、月を見ながら風雅な遊びをしただろうあとが残っていた。

【解説】富田城を守る武士たちも、無骨一辺倒で戦いに明け暮れていたのではなく、今歌会を楽しむ我々のように、月を見ながら風雅な遊びをしたのだろうと、おりしも空に浮かんでいる月を見ながら、思いにふけったのであろう。

長谷川　龍衛

たゝかひし　太刀の光と＊　さゆる＊かな　勝日の峯の　秋のよのつき

【大意】この城で戦った武士たちの持っている太刀の光が思い浮かぶようにさえわたっている、勝日山（月山）の峰にかかる秋の夜の月は。

【解説】この歌に至って初めて「秋」字を用いる。星野文淑の依頼にも少しはこたえたか。前首のように、月を前にして、風雅な武士を詠むのではなく、今度は武士らしい武士を詠む。月から、「たたかひ」や「太刀」が連想されるのは、非常に殺風景である。

北島（きたじま）　湊（みなと）

もの丶（の）ふの　花（はな）と散（ち）しは*　むかしにて　月山（つきやまざ）さくら　嵐（あらし）ふく也（なり）

【大意】武士たちが桜の花のように潔く命を散らせたのはもう昔のことになってしまった。この月山のさくらに嵐が吹きすさび、花が散っている情景だけが目の前に残っている。

【解説】北島湊は、経歴不詳であるが、大社北島家縁者の歌人であろう。森繁夫『名家伝記資料集成』に、「号亀本　出雲杵築　大社等外出仕　明治二十九年十月廿六日歿」とある。

　また、春に戻る。おそらく目上の近親者北島三綱の下の句をそのまま使う。三綱の作品は、意気軒高な武士及び旗に、まだ散らぬ盛りの桜を配しているが、湊は、時が過ぎゆき、武士たちが自刃、富田城が落城したことに、潔く散る桜をあつらえている。

細野（ほその）　安恭（やすたか）

春過（はるすぎ）て　花（はな）も匂（にお）わはぬ*　月山（つきやま）に　古（ふる）き昔（むかし）を*よふ（ぶ）　千鳥（ちどり）*哉（かな）

〔北島湊〕

＊花と散しは　「花と散る」は、武士の潔さを言い表すのに好まれる表現。ひとつ残らず、あとかたもなく、消失してしまう。

〔細野安恭〕

＊花も匂はぬ　伊勢「春がすみ立つを見捨てて行く雁は花なき里に住みやならへる」を意識するであろう。花に興趣を感じない雁と違って、千鳥は春どころか、夏になっても、月山に懐古の興味を持ち続けて、いつまでも居続けるのである。『古今集』「人はいさ心も知らずふるさとは花ぞ昔の香ににほひける」も、この作品の発想の源であろう。

＊古き昔　『古今集』「五月待つ花橘の香をかげば昔の人の袖の香ぞする」を意識するであろう。月山は、春の花はもちろん、夏の花も咲かない。昔をしのぶよすがもないと思っていたところに、千鳥が鳴く。

「古き」と「昔」と類語を重ねることによって、昔と今との隔絶をより強める。

＊千鳥　ここでは、「千」羽も群れるような小鳥で、ちよちよ（千代八千代）と鳴くということをおさえておけばよいだろう。『古今集』「しほの山さしでの磯にすむ千鳥きみが御代をば八千代とぞ鳴く」。悠久の時間を呼び起こす鳴き声である。そして、柿本人麻呂「近江の海夕波千鳥汝が鳴けば心もしのにいにしへ思ほゆ」以来、その鳴き声は、孤独な人に過去を思い起こさせる力を有するものとして詠まれる。群れて鳴くので、ひとりぼっちで聞くものの孤独感がいや増す。源兼昌「淡路島通ふ千鳥の鳴く声に幾夜寝覚めぬ須磨の関守」。

〔芋村〕

＊その声や　「その」は単なる指示代名詞ではない。今聞いているほかでもないこの声。一回性、現前性を強調する。

＊さすか　「さすが」は古典では「そうはいうもののやはり」という逆説的な意味だが、ここでは、「なるほど（思っていた通りだ）、やはり（聞いていた通りだ）」の

【大意】月山は、春が過ぎて、花も散り、匂いもしなくなり、殺風景である。だからこそ、往時の光景を呼び寄せるように、千鳥が「ちよちよ」、「千代八千代」と鳴いている声が心にしみわたる。

【解説】眼前の春夏の交の情景に戻って歌会を締めくくる。花が散る春や月が照る秋でなくては、懐古の興趣を詠めないわけではない。ホトトギスはすでに島重養が言及したし、寂寞懐古の情を催す悲しい声としてあまりにステレオタイプなので、自分は千鳥を題材にしようとしたのか。

星野文淑が強調した、月山の紅葉については結局誰も詠まなかった。

安来（やすぎ）　芋村（うそん）

その声（こえ）や＊　さすか（が）＊吐月（とげつ）＊の　郭公（ほととぎす）

【大意】吐月峰で鳴くホトトギスの声は、うわさ通りなるほど凄惨な響きだ。まさに、泣いて血を吐くホトトギスとはこのこと。吐月と聞いて、吐血が連想される。

【解説】芋村は、『安来町史』に「（山内）曲川翁の弟子筋に……灘紺屋の富田芋村」とある人。俳号は「とんだ嘘」という含意か。

庶民の文学である俳諧は、廃墟を前にした幻想や、武士のことなど

近世俗語として使っている。俳諧にふさわしい措辞。

*吐月　月山の頂上は吐月峰と呼ばれた。「吐血」に掛ける。白居易『琵琶行』「杜鵑は血に啼き猿は哀しく鳴く」をもとにしてできた「啼いて血を吐くホトトギス」の言い回しを織り込んでいる。

は詠まぬ。むしろ開き直って談林調のダジャレを楽しむ。「さすが」の措辞など、俗っぽさが身上。季語は、郭公で夏。

松江（まつえ）百喜（ひゃくき）

月山（つきやま）も　花（はな）の七日（なのか）の　くもりかな

【大意】この月山、桜は七日しか持たないというのに、あいにくの曇りで花も月も楽しめないのが残念だが、これも興趣のあることではある。

【解説】百喜は事跡不明。『風流新誌』に掲載。山内曲川の当時の弟子。花七日は、桜は咲いてから散るまでが七日間に過ぎないということ。盛りの時期の短いことのたとえだが、それを悲しんでいるだけではない。兼好『徒然草』「花は盛りに、月は隈なきをのみ見るものかは」のように、曇る月や散ってしまった花を楽しむ伝統があった。花曇り、朧月も愛されてきた。季語は、花の七日で春。

芋村の句に対して、穏やかな調子。掛詞等のけれんみもない。月と花という、俳諧連歌で重要な景物がここ月山では味わえますよ（たとえ天気が悪くても）、という宣伝にもなっている。結局、俳諧の方でも、星野文淑の意図に反して、秋の月山やその紅葉が詠まれることはなかった。星野と親しい漢詩人のグループなら、秋の詩、紅葉の詩を寄せてくれたかもしれない。編者と選者・作者との、芸術観・歴史観・美意識のくいちがいがあると見られ、興味深い。

第十勝　犬石　犬は常磐の石となりけむ

○犬石

意宇郡*、白石村*ニアリ。長サ一丈*、高サ四尺、周回一丈九尺ノ石ニシテ、大己貴命猪ヲ逐フ時、率ユル*トコロノ犬ハ則チ是レナリ。今日ニアリテ、猶ホ其形ヲ損セズ。廻ラスニ石垣ヲ以テス。

〔犬石由緒〕

＊意宇郡　現松江市南部、安来市等。

＊白石村　明治二十二年、宍道村に編入されるが、江戸時代から、村名（地区名）はあったであろう。おそらくは犬石・猪

石（どちらも白色）に由来するのではないか。なぜ、「はくいし」と読むかは不明。

＊長サ一丈　猪石の項と同様、『風土記』をほとんどそのまま写している。犬石の場合は、実物は数字よりかなり小さい。『風土記』の度量衡が特殊である等の可能性が考えられる。

＊率ユル　歴史的仮名遣いは「ひきゐる」が正しい。

〔島重養〕

＊大神、御狩　「幸」、「かがふる」とともに古代風を醸し出す言葉。

＊幸　さち。自然からとれる産物、獲物、収穫。本来は狩猟漁撈における獲物（ま

【大意】犬石は意宇郡白石村にある。長さ一丈（一丈は約三メートル）、高さ四尺（一尺は約三〇センチメートル）、ぐるりが一丈九尺の石で、オオナムチ（大国主命）がイノシシを追跡したときに、連れてきた犬が化したのがこの石である。今なお、犬の形は崩れずにそのまま残っており、周りは石垣で囲んである。

【解説】本項目は、本来、月山城墟の前の猪石と連続するべきである。距離的にも近く、伝説をともにする。船で移動する、一日一地点のみの、のんびりとした観光ということで、この配列でもいいのかもしれない。

犬石は、石宮神社（現松江市宍道町白石）。本殿裏の石の柵に囲まれた犬型の石に比定される。神社の入り口には、巨石が数個あり、これらを『風土記』の猪石に比定する説もある。犬石本体は変わりないようであるが、犬石の周囲は、挿絵と現在の様子はかなり違っている。

島（しま）重養（しげかい）

大神（おおかみ）＊の　御狩（みかり）＊の幸（さち）＊を　かゝ（がう）ふりて＊　犬（いぬ）はときは（わ）＊の　石（いし）となりけむ

【大意】オオナムチの神（大国主命）がご狩猟遊ばされたのにお供したおかげをこうむって、犬は永遠の命を持った石となったのであろう

たは獲物を捕る道具）が原意。もしそうならば、神である大国主命が狩った特別な神獣である猪を褒美でいただき、食したことによって、その霊的エネルギーを得て、永遠の生命を得たという解釈になろうか。

＊かゝふりて　後世、「こうむる」「かぶる」「かんむり」などに転化した古代語。承る。こうむる。特に、命令や恩沢を受ける。

＊ときは　常盤。「とこいは（常に存在し続ける岩）」がつづまったことば。岩に限らず、永遠なるもの一般を指すが、ここは原義が残っている。

〔北島三綱〕

＊石となりけん　前首末二句の繰り返し。ただし、「けん（む）」は、連体形とみて、「（犬像の）いはほ」にかかっているように読むべきであろう。

＊まもり　本来は、「目（ま）守（も）る」の意。見守ることから、外敵の侵入を防止、監視する意味に広がった。優しく見守る程度に読むべきかもしれない。

か。

【解説】夫の帰りを待って妻が石になってしまう「望夫石」の故事は、歌にもよく詠まれるが、なんと犬が石となったとは、どういうことだという驚きがこめられている。神話は、後世の一般人には何のことやらわからない。理屈が通らない。そこが恐ろしいし、魅力的でもあるところだ。主人に尽くした犬がなぜ石とされてしまうのか。不条理である。永遠の生命を褒美にいただいたのだという解釈で何とか理解しようとするのだが。末句は、過去推量の助動詞「けむ」で結んでいる。例えば浦島太郎の結末のように、不可解な気持ちが後を引く。

北島（きたじま）三綱（みつな）

猪（しし）おひて　石（いし）となりけん＊　犬像（いぬかた）の　いはほ（わお）ぞ里（さと）の　まもり＊也（なり）ける

【大意】いのししをおっかけて石となったそうな、犬の形をした大岩が、この里を守る守護神となったのである。

【解説】

前首の末句を繰り返しつつ、全首の不可解に対する一応の回答になっている。異常なことだが、結果として、犬は神秘的能力を得て、今もこの村を守ってくれているんだ、ありがたいことではないかと、強弁して納得する。神秘的な次元から、眼前の平穏な世界に戻って、吟行を締めくくる。

第十一勝　潜戸　御稜威輝く加賀の神崎

〔潜戸由緒〕

***島根郡**　現在の松江市北部、松江市の島根町、鹿島町、美保関町が主たる部分を占める。

***加賀浦**　現松江市加賀。「加賀」の発音は「かか」。江戸時代から明治初期は、海岸の集落を浦と呼んだ。

***神崎**　潜戸のある岬。「かみさき」とも。

***四間**　一間は約一・八メートル。

***二町**　一町は約一〇九メートル。

***支佐加比比売命**　『古事記』で、瀕死の大国主命を治療した神。赤貝を神格化したもの。潜戸近くの加賀神社（由緒にあるようにもと潜戸内にあった）でまつる。

***佐太大神**　『古事記』『日本書紀』にあらわれない、出雲神話特有の神。サルタヒコに比定する説もある。松江市佐太神社の主神。

〔門脇重綾〕

***門脇重綾**　原文は「川勝」に誤る。おそらく星野の崩し字の原稿を刻字工が読み間違えたと思われる。この長歌及び反歌は、門脇重綾の没後歌集『蠖園集』にも掲載。『蠖園集』は明治十一年出版なので、該当部分をそのまま『出雲名勝摘要』（明治十四年出版）の原稿にしたのであろう。両者は、仮名と漢字の部分や送り仮名がほぼ一致しており、忠実に複製したようである（但し変体仮名の種類や書体は違う）。

***出雲のや**　柿本人麻呂「石見のや高角山の木の間より我が振る袖を妹見つらむか」にならったのであろう。「や」は間投詞。「ああ」というような感慨を示す。

***奇しきや**　霊妙な力をもち、神秘的で摩訶不思議なさま。

***くきとのみ戸は**　「くすし」、「くきと」と「く」の音を重ねて強調。「みと」は、水戸。水門。海水の出入りする狭い所。また、大河の海にはいる所。

***常暗に**　いつまで続くかわからない永遠の闇。

○潜戸

島根郡*、加賀浦*、神崎*ニアリ。窟門高サ四間*、広サ二間乃至八間、長サ凡ソ二町*許リ。一洞アリテ北ニ向フ。抑此窟ヤ、太古、支佐加比比売命*ノ佐太大神*ヲ産ムトコロニシテ、啻北方ノ一洞アリテ、窟内常ニ黯々焉、大神之レヲ厭ヘ、金弓ヲトリ、一射シテ、西ヨリ東ニ通ス。於是、窟内為メニ耀ク。是レ即チ今ノ東西両門ナリ。社ヲ建テヽ、支佐加比比売命ヲ祭ル。

【大意】潜戸は、島根郡加賀浦神崎にある。洞窟の入り口は、高さ四間、幅二間から八間、長さは、全部で二町くらいである。さらに北に向かって洞窟がもう一つ開いている。さて、この洞窟は、大昔、キサカイヒメの神が、サダの大神を出産したところで、そのころは、北側の洞窟が一つあいているだけで、洞内はいつも真っ暗、サダの大神は暗いのはいやだと思って、黄金の弓を手に取って矢を射ると、一気に西から東に射通した。その結果、洞内は光に満ち満ちて輝いた。これこそ、現在の洞窟の東と西の二つの入り口なのである。洞内に、神社があって、キサカイヒメの神を祭っている。

【解説】潜戸は、加賀の潜戸。松江市北部の海岸にある洞窟。ここには、海寄りの「新潜戸」と陸寄りの「旧潜戸」の二つの洞窟がある。

***闇き岩屋と**　「と」は「とて」、と思って、だというわけで、の意。上代風の言い方。
***麻須羅神**　『出雲国風土記』増補部分の表現。「ますら」は神や男性の雄々しくりっぱなようす。ただし、『風土記』では、佐太大神の父を指しているようにも読める。
***投矢射放ち**　『風土記』では、「弓箭」。「投矢」は、矢を手で投げることか。『万葉集』に用例あり。
***茜刺**　日にかかる枕詞。赤い色がさして、美しく照り輝くことから。東にかかる用例は見ないが、「ひがし」の「ひ」にかかると考えたのであろう。
***東門より**　「と（門）」は入り口。水の行き来する狭くなった部分。
***い行むかへは**　「い行く」の「い」は接頭語で、「行く」の万葉調。「行く」は単なる移動、「向かふ」はその方向に向かう。
***そともなる**　「そとも」は外面。「背（そ）つ面（おも）」の音変化。従って、後の方を本来指す。ここでは東西方向を外れた方向。
***北の大門そ**　『蠖園集』では、「北の大門は」に作る。その方がよいであろう。「そ」

新潜戸は元来「神潜戸」で加賀神社の神域であった。本項の潜戸はこれである。旧潜戸の方は、「仏潜戸」と呼ばれていたらしく、賽の河原で有名な信仰の場であり、当時は観光地的な名勝とはいいがたかったのであろう。

新潜戸は、この由緒にあるように、東西北の三つの海からの入り口がある。加賀の港から、舟に乗って、遊覧する。潜戸の名称がいつ生じたのかは、つまびらかにしないが、早く、『出雲国風土記』にこの洞窟に対する言及がある（嶋根郡加賀郷の条）。ただし、『風土記』のこの部分は古本になく、江戸時代、他書や伝承から補綴したものといわれる。それでも、幕末、星野文淑やこの項の和歌の作者達は本文と見なしたであろう。『風土記』の補綴部分は、テキストが乱れており、逆にそれが和歌作者達の想像力を刺激したようである。

潜戸とは、くくりど、すなわち海水をくぐるような入り口。古代、「くぐる」は濁らずに「くくる」と発音することが多かった。現在は、「くけど」の読みが一般的。山陰独特のい行音のあいまいな発声のために、表記に混乱が生じたのであろうか。『出雲国風土記』記載の「川来門大浜（かわくどのおおはま）」、一本に「久来門（くきど）大浜」は、現在の加賀漁港を中心とした加賀浦の浜全体をさすようであるが、あ

は、万葉語としてはすんでよむべきかもしれない。
＊はしめより　当初から。東西の門ができる前から。
＊八重折る波は　八は上古では、大きな数を示す。何重にも折りたたまれたような波。次々と波が押し寄せてくる感じ。
＊雲井なす　雲が遠くにわいている様子。
＊澳にひろこり　「澳」、「奥」、「沖」は、漢字の本来の意味を離れて、「おき」の当て字として用いられる。「ひろごり」は、広くなる、広がる。上古的な雰囲気をもつ言葉。
＊うつらなる　中身がなく空っぽのこと。「うつろ」と同じ。重綾は、上古語と考えたようだが、実は「うつら」は、はっきりと、まざまざとの意で用いられる。
＊此窟戸も　洞窟の門（入り口）のこと。
＊たゝゆりにゆりかくやすと　「ゆる」は、ゆらすの意の上代語。「か」は疑問、感嘆の助詞。「くやす」は、くずす、くだくの意。
＊聞のかしこく　「聞き」は、連用形を用いて「聞く」を名詞化した言い方。聞くこ

るいはこの地名との混乱があるのではないかとも考えられる。ここでは、本文和歌中の仮名表記により、「くきど」と読んでおいた。
　松江藩儒黒沢石斎の地誌『懐橘談』は、この風土記増補部分の伝説を襲いつつ、佐太大神が母神を「かか」とよんだので、加賀という地名になったという旨の民間伝承を記している。石齋も荒唐無稽と批判する説だが、也丈の俳諧はこの伝説をもとにしている。江戸時代には、「加賀」に「嬶」を当てることもあり、かかあ＝母の伝承があったことがうかがえる。『風土記』以来、現在に至るまで、「かか」と二字目の「か」を清んで読み続けている。

門脇　重綾＊

出雲のや＊　加賀のみ嵜の　奇しきや＊　くきとのみ戸は＊　常暗に＊　闇き
岩屋と＊　麻須羅神＊　投矢射放ち＊　其岩を　通しましきと　茜刺＊　東
門より＊　西門にし　い行むかへは＊　そともなる＊　北の大門そ＊　はしめ
より＊　然ありけらし　大海原　八重折る波は＊　雲井なす＊　澳にひろこ
り＊　壁立てる　岩穂にくたけ　うつらなる＊　此窟戸も＊　たゝゆりに
ゆりかくやすと＊　おもふまて　聞のかしこく＊　現にし　見のあやしく＊
千早振＊　神のみあとと　語継き　いいつくなへに＊　出雲人の　吾にか

とすら恐れ多い。万葉調。
＊**見のあやしく**　「見」は「見る」の連用形を名詞化したものとして用いる。
＊**千早振**　神の枕詞。勢い激しくふるまう、強暴であるの意の「ちはやぶ」の連体形。
＊**語継きいいつくなへに**　山部赤人「語り継ぎ言ひ継ぎ行かむ富士の高嶺は」。「なへに」は、……とともに、ちょうどそのときに。万葉調の措辞。
＊**つら〳〵に**　よくよく。つくづく。
＊**いにしへおもへは**　遺跡を前にして、いにしえを思うのは、万葉集の常套。山部赤人「見るごとに音のみし泣かゆいにしへ思へば」。
＊**天なるや**　天上世界にいる。「や」は詠嘆。国つ神に対して、天つ神であることを指す。古くは「天」は「あめ」と読んだ。
＊**大名持**　大国主命の一名。『古事記』では、「大己貴」。平安時代の表記。
＊**現身を**　上代語の「うつしおみ」「うつそみ」「うつせみ」は、この世で生きる人、引いて現実世界の意味。「うつしみ」は、近世の国学者が、「顕しき身」と解釈した

たらく　つら〳〵に　いにしへおもへは　天(あめ)なるや　吉佐貝比比咩(きさかひひめ)の
大名持(おおなもち)　神(かみ)のみことの　現身(うつしみ)を　ひたしいかすと　けたしくも　こゝ
に来(き)まして　八十神(やそがみ)を　避(さけ)てましけん　あとゝころ　かくこそあれと
つはらかに　かたるをきけは　うへしこそ　八洲(やしま)の国の　国中(くぬち)とも
おもほえなくも　現世(うつしよ)に　こゝたさかりて　あやしくも　神(かむ)さひたて
れ　是(これ)の神崎(かんざき)
くきとより　吾漕来(わがこぎく)れは　まかみふる　妹(いも)か櫛島(くしじま)　波(なみ)のまにみゆ

【大意】ああ、この出雲の、加賀の岬の、霊妙あらかたな、潜戸の洞穴は、永遠の闇に包まれた、真っ暗な洞窟だなあと、立派な神である佐太大神はおっしゃって、矢を手でお投げになり、その岩を突き破られたといい伝えられているが、今、東の入り口から、西の入り口に向かって舟をこいでいくと、外の方の北の大きな入り口は、神が生まれる前から、こうであったのだろうと思われる。大海の、幾重にも重なる波が、雲がもくもくとたっている遠い沖に広がり、壁のようにそびえ立つ大岩にぶつかって砕け、空っぽのこの洞窟の入り口も、ひたすら、ゆれにゆれ続けて崩れ落ちてしまうのではないかと思うほどに、その轟音は聞いて恐ろしく、現実世界にこんなことがあるのか、と見て不思議な気がするが、（ちはやぶる）偉大な佐太大神のいらっしゃっ

ところから新たに生じた語。現世の人の身、要するに魂ではなくて、肉体。

＊けたしくも 「けだし」「けだしく」「けだしくも」は推量の意をあらわす副詞。もしかすると。あるいは。おそらく。「む」「らむ」「けむ」「べし」などの推量の助動詞で受ける。

＊こゝに来まして 「ます」は、上古においては尊敬の助動詞。

＊八十神を 八十は多くの数を指す。大国主命をいじめ殺した兄神達。古事記「故、此の大國主の神の兄弟は八十神坐しき」。

＊あとゝころ 本来は、足で踏んだところ。足跡。見る影もなく変わった遺跡をしばしば指す。

＊つはらかに 「つばら」より派生した語。くわしく。すみずみまで残らず十分に。つまびらかに。

＊うへしこそ 「うべ（むべ）」より派生。「し」は強意の副助詞。なるほどまあ。いかにも。もっとも。

＊八洲の国の 「八洲」は、多くの島のある国の意。日本の国の美称。大八洲（おおやしま）。『古事記』「八千矛の神の命は八

たご遺跡だと、代々語り継ぎ、言い継いでいる。ところが、一方、地元出雲の人が私にこう教えてくれた。あれこれじっくりと、昔のことに思いを致してみると、天の神である、キサカイヒメの神が、オオナモチ（大国主命）の神の、お体を水に浸して、生き返らせようとして、おそらくはここにいらっしゃって、たくさんの悪い兄弟の神達を避けてらっしゃった、そのあとが、このようになっているのだと、そうくわしく語るのを聞くと、なるほど、わがやしまの日本国の中のこととは思えない、現世からものすごく離れたこの土地は、不思議で神秘的な雰囲気に満ち満ちていることだ、ここ神崎は。

（反歌）潜戸をぬけて、私が船をこいで帰ってくると、かわいい女性が黒髪をとく櫛のような、そんな小さくてかわいい櫛島が高い波の間に見える。

【解説】 門脇重綾（一八二六～一八七二）は、江戸時代後期の鳥取藩士。国学者。歌人。勤王家。名和長年の顕彰で有名。彼の歌集『蠖園集』にもこの歌を載せる。晩年近く、明治四年頃、神祇省の役人として、出雲等の諸神社へ出張しており、この時期のものであろう。

長歌前半は、潜戸を舟で探検し、その偉大さに打たれて、風土記の物語と実見の景勝を記し、後半は古事記の大国主命蘇生の伝説の地と

島国妻まきかねて」（大国主命の歌）。
＊国中とも　「くぬち」は「くにうち」の音変化。
＊おもほえなくも　『蠖園集』は「おもほえなくに」に作る。「おもほえなくも」の形は万葉集に用例を見ない。いずれにせよ、思われないが、の意。
＊現世に　「うつしよ」は、仏教語「現世」の和訳、及びそれに影響を受けた神道語。ここでは、（太古の神話世界ではなく）現在の日常の世界という程度の意味。
＊こゝたさかりて　「ここだ」は数量の多い様、ひいて程度の甚だしい様。「さかる」は遠く離れる。遠ざかる。
＊あやしくも　「あやし」は不思議で、神秘的な様を、驚きをもって感嘆したことば。
＊神さひたてれ　「かむ（ん）さぶ」は「かみさぶ」の古い形で、古びて神々しく見える、荘厳で神秘的であるの意。後の「神崎（かんざき）」との語呂もよい。補助動詞「たつ」は、厳然として屹立するようなニュアンスか。
＊是の神崎　長田王「聞きしごとまこと尊

する、出雲人の説を記す。そして、時代の先後もわからぬ、矛盾した物語や神統をそのまま受け入れて、だからこそ神は不思議なのだと、非合理ゆえに人知をこえて神々しいと、強引に結論づける。

　反歌では、そのような夢のような時間を過ごしたのち、重綾は潜戸をはなれ、暗黒の世界から、明るい現実世界に戻っていくが、夢幻世界を完全に離脱したのではなく、神話的な櫛島の景色が目に入ってくる。ただ、それは荒ぶる神と違って、あくまでも優しく、女性的な穏やかさのある風景であり、重綾はほっと人心地がつくのである。

長谷川（はせがわ）龍衛（たつえ）

黄金弓（こがねゆみ）＊　とらしゝ世（よ）より＊　やみ〳〵（やみ）に＊　みいつかかやく＊　かゝ（か）の神崎（かんざき）

【大意】神が黄金の弓を手におとりになった、太古の時代より、あらゆる闇という闇に、神の御稜威（みいつ）がかかや（輝）いている、この加賀の神崎には。

【解説】門脇重綾は、「投矢」としかいわぬが、『風土記』（増補部分）では「金弓」といっている。龍衛は、これを「かね（鉄などの金属）のゆみ」と読まず、「こがねゆみ」と読んで、輝く黄金製の弓だとした。弓矢で、東門、西門に穴をあけたことではなく、そもそも、弓が母子

くくすしくも神さびをるかこれの水島」を明らかに意識する。「これの」は、他でもないこの、という強いニュアンス。最初の「出雲のや」以後の地名列挙に対応。神崎は風土記以来の地名で、「かんざき」の読みが定着しているが、あるいは「かみさき」と読んで、清澄な響きを愛したかもしれない。このあとに、門脇重綾の『蠖園集』では、小字注で「出雲風土記に拠る。或人云、風土記にいはゆる佐田大神は猿田彦神なりとぞ」と付記がある。

〔反歌〕

＊吾漕来れは　『万葉集』によく見る表現。

＊まかみふる　「真髪触奇稲田媛」（まかみふるくしなだひめ。『日本書紀』）により、櫛の枕詞のように用いている。櫛が髪に触れるとは、櫛で髪をとくことであろう。「ま」は美称。

＊妹か櫛島　櫛島は松江市島根町加賀の桂島の東方、潜戸の南方にある。現在は桂島と結ばれている。とても櫛のようには見えない丸っこい島であるが、西側の裏手の方に岩場が数カ所突き出ており、遠くから見たら櫛の歯のように見えたので

神のもとに流れてきたことを重視するのである。潜戸は、それ以来、神的、霊的な目に見えぬ光、御稜威によって輝いているのである。この歌の後半は、「か」音を連続させて、強く清澄なリズムを作り、「加賀」の土地に生まれた「神」に対する畏敬の念を表す。

島（しま）　多豆夫（たずお）

射放（いはな）ちし＊　こかね（が）の弓（ゆみ）の　ひかりにや＊　くらき岩屋（いわや）も＊　かゝ（か）やきにけむ＊

【大意】遠く射放った黄金の弓の光に照らされて、まっくらな洞窟も輝いたであろうか。

【解説】佐太大神の霊的成長はかくして成就された。龍衛の歌が論争的だったのに対して、微温的。宗教性はあるが、弱い。龍衛の言うように、弓が流れ着いた時点で、洞窟が輝いたわけではなく、矢を放ってはじめて光が洞窟に満ちたのである。じっくりと神の恩寵に感謝する様子がうかがえる。

松井（まつい）　言正（のぶまさ）

千早振（ちはやぶる）＊　神代（かみよ）もかくや＊　霞（かすみ）けむ＊　くきと（ど）の沖（おき）の＊　春（はる）の曙（あけぼの）＊

【大意】（ちはやぶる）神の時代もこのようにかすんでいたのだろう

あろうか。潜戸から加賀漁港に帰る途中に見える。『出雲国風土記』「櫛嶋　周二百三十歩。高一十丈。〈有松林〉」。櫛を入れる化粧箱玉櫛司を、愛人にたとえる、あるいは愛人と関連したものとして詠むことは、『万葉集』にしばしばある。

＊波のまにみゆ　『万葉集』「娘子らが織機の上を真櫛持ち掻上げ栲島波の間ゆ見ゆ」を意識するであろう。ちなみに、栲島は「たこしま」。現在の中海に浮かぶ大根島であるという。門脇重綾は、「出雲国蝤蛑（たこ）島の牡丹見にものしける時」という題の長歌も作っている。

〔長谷川龍江〕

＊とらしゝ世より　「ゝ」はもと「た」に作る。今正す。

＊やみ〱に　「闇」を重ねて、あらゆる闇に、の意とした。何もできないさまや正気や分別を失うさまを表す副詞の「やみやみ」では、文意に沿わないし、「やみやみと」というはずである。また、歌語として用いられない。

＊みいつ　御稜威。「いつ〈厳〉」の尊敬語。御威光。御威勢。「いつ」は本来斎み清

か。潜戸を出て、今私は、春の明け方の、沖の波を、眺めている。

【解説】潜戸のすばらしさ、おそろしさに心揺らされ、呆然としたのち、外に出ると霞がかかった海が見える。朝日が潜戸の洞窟にさすのを見るは、本当に感動的だそうだが、それを見に行ったのか。潜戸の中は神話世界で、人間世界からおそろしく隔絶した世界だったが、神代もこのような霞が外にかかっていただろう。それなら、神の古代世界も恐れるべきものではないかもしれない。こうして、ふだんの歌人としての自分にもどった。歌の調子も、万葉調から、古今調へ。前半の「か」音の連続は堅い調子で、神への畏敬がまだ残るが、後半は柔らかな「の」音の連続がだらだらと続き、穏やかな日常現在への回帰を表す。あたかも、重綾が反歌で優しい恋の気分で終わらせたのに倣ったかのようである。

乳岩（ちちいわ）は　涼（すず）し寝（ね）た子（こ）も　眼（め）をさませ　　**松江（まつえ）　也丈（やじょう）**

【大意】潜戸に子供を連れて遊覧してみたが、折からの暑さで子供がぐでっとして寝てしまった。洞内は涼しい。乳岩からは、水のしずくが乳のようにしたたって、冷たい。おまえの好きなお乳みたい

めて、神聖になったもの。さらに、その神聖さが荒ぶる方向に向かい、神の威力が強烈なことを意味するようになった。明治以後、天皇の威光を示す語として用いられるようになる。本来は、祝詞で使われる語であった（長谷川龍衛は大社神官。重綾も含めて、歌人は神社関係者が多い）。

＊かかやく　古くは清んで読んだ。ここも加賀（かか）の地名由来として、清んで読まなくてはならない。『風土記』加賀郷（補綴部分）に「光加加明（かかあく）也。故に加加と云う（神亀三年（七二六年）字を加賀に改む）」とある。

〔島多豆夫〕

＊射放ちし　『延喜式』祝詞・遷却祟神「射放つ物と弓矢」。「射放つ」の語は、和歌に用例がなく、古代性、宗教性を帯びると考えたか。

＊ひかりにや　上東門院「くもりなきよの光にや春日野の同じ道にも尋ね行くらん」。この歌も春日大社と光を結び付け、その光は神性を帯びる。

＊くらき岩屋も　岩屋は洞窟。修行者や神

だ。寝た子は起こすなとはいうけれど、せっかくだ、目をさまして見物するがよい。

【解説】也丈は、本名不明。師の曲川と同じく松江の人。『風流新誌』にその作品が見える。

「乳岩」は、乳房石、乳汁石とも書く。北門と東門の中間辺りの天井に、乳房の形をした大小二つの石が垂れ下がっている。その霊験談は、先に引用した『懐橘談』に詳しい。『古事記』や『風土記』のような正統な書には載らない、俗のきわみの民間伝承である。それをこの俳諧は愛した。「乳」自体が卑俗。

「涼し」は、夏の季語。外は暑いのに、ふと涼しさを感じるときに用いる。

「寝た子も」は、「寝た子を起こす」を意識。「寝た子を起こす」はせっかく収まった物事に余計な言動をして、再び問題を起こすことのたとえ。実際に、ぐずる子が寝てほっとしていたのであろう。

「眼をさませ」の「さませ」は命令形として解釈したが、疑問が残る。イ段とエ段の混乱（潜戸の読みがまさにそうであった）により、「さまし」とあるべきところを「さませ」と表記したかもしれないからである。そうすると洞内の涼しさで目をさましたということで、ぐずっ

が暗中で霊力を高める場所。生石真人「大汝少彦名のいましけむ志都の石屋は幾代経にけむ」を明らかに意識する。ちなみに「しづ（志都）のいわや」は、島根県大田市静間町魚津海岸にある洞窟。

＊**かゝやきにけむ**　清んで読んで、加賀（かか）の地名伝説に結び付ける。

〔松井言正〕

＊**千早振**　「神」にかかる枕詞。

＊**神代もかくや**　中大兄皇子「香具山は畝傍を愛しと耳成と相争ひき神代よりかくにあるらし古もしかにあれこそうつせみも妻を争ふらしき」。「かく」は万葉調の堅い言い方。

＊**霞けむ**　霞に春の美を感じるのは平安調であろう。

＊**くきとの沖の**　東門から舟が出て、春光にやわらかく包まれていくような情景を思い浮かべればよいのだろう。

＊**春の曙**　『枕草子』冒頭の「春は曙」が想起されるように、平安朝の穏やかな美意識で締めくくる。

ていた子がせっかく寝ていたのにという、やっかいがる気持ちも込められているか。もちろん、霊験あらたかな乳岩のしずくを浴び、潜戸の洞内をみることができるのは、この子にとって幸せなんだろうけどね、という親らしい思いも裏にはあるだろう。

　卑俗な記述で、現在の潜戸の楽しみ方を指南する。高邁な和歌に対して、卑俗に徹する俳諧の反骨精神が感じられる。歌人、国学者達正統な知識人が描いたのは、荒ぶる、人知でとらえられない恐るべき神であるのに対して、庶民信仰の対象としての仁慈あふれる神が存在することを、也丈はやんわりとさとしているのであろうか。季語は、涼し（夏）。

〔鬼の舌震〕

*仁多郡　律令制の施行の頃より存在する郡。現在、仁多郡の範囲は、ほぼ奥出雲町となり、一部が雲南市に編入されている。

*上三成村　江戸期から明治初期までの村名。正確には、明治八年、下三成等五か村と合併して三成村となった。後三成町。戦後合併して仁多町、そして現在の奥出雲町となる。

*鰐魚　「鰐」は、「鱷」の異体字。古代中国語としては、爬虫類の揚子江ワニを指す。日本では魚類のサメ（シュモクザメ）を指すようになった。

*阿井村　現奥出雲町馬木付近。『出雲国風土記』では「阿伊」、『和名抄』では「阿位」、中世以後「阿井」が定着した。近世には上阿井村、下阿井村に分かれる。正確には、明治二十二年に上下が合併して、阿井村になる。

*玉姫命　「玉姫命」は、『風土記』における表記は「玉日女命」。他書に見えない神なので、正体不明。玉のように美しい、阿井村の土地神なのであろう。

第十二勝　鬼の舌震　断巌屹立　待つ有るが如し

○鬼の舌ふるひ

地ハ仁多郡、上三成村ニアリ。神世ノ時、鰐魚、阿井村ニアル玉姫命ヲ恋フテ、上リ来ル。命石ヲ以テ其流ヲ塞テ会セス。鰐大ニ怒リ、其舌ヲ振フ。故ニ此名アリ。高サ数十丈ノ断巌屹立シテ、屏風石アリ、畳石アリ、亀石、甑石アリ。大石、碧潭ヲ出テヽ、恰モ馬ノ浴シ起テ鬣ヲ振ハントスルカ如シ。遊ヲ好ムノ士、一タヒ此ニ至レハ、悠然トシテ出塵ノ想ヲナス。

【大意】鬼の舌震は仁多郡、上三成村にある。神々がいらっしゃった時代、ワニ（鮫）が、阿井村にいた玉姫命という女神に恋をして、川を上ってきた。玉姫命は、石で流れを遮ってワニに会おうとしなかった。ワニは怒りのあまり、その舌をブルブルとふるわした。（その名残が地形として残ったので）かくして「鬼（ワニが訛る）の舌ぶるい」の名前ができたという。高さ数十丈の断崖絶壁がそびえたち、屏風岩、畳岩、亀岩、甑岩等のスポットがある。大きな崖のような岩が、エメラルドグリーンの深い淵からから突き出している様は、あたかも馬が水浴びをして立ち上がった時に、たてがみをふるわせている姿をみるようである。風雅な遊びを好む紳士達は、この地にくると、世間の俗塵から逃れた気分をゆったりと味わうことができる。

＊鰐大ニ怒リ、其舌ヲ振フ　ここは『出雲国風土記』ではなく『出雲国風土記抄』所載の伝承に従っている。

＊断巌　断岩。断ち切ったように高くそびえ立つ岩。

＊屹立　高くそびえ立つこと。

＊屏風石、畳石、亀石、甑石　現地の案内図によれば、「石」の表記を「岩」にかえて今もこれらの名称が残る。石は「いわ（いは）」と読むべきであろう。

＊大石……如し　姚鼐『游媚筆泉記』の文章をほとんどそのまま利用。姚鼐（一七三一～一八一五）は、清代の文章家、書家。清代古文復興の趨向を定めた桐城派の中心人物である。『游媚筆泉記』は日本でも著名。

＊一タヒ　「一」は「（一度でも）…すれば直ちに……」のニュアンス。

＊出塵ノ想　塵にまみれた俗世から離れて、自然を楽しむ思い。

〔田能村直入・二〕

＊嶮路　「嶮」は「険」に同じ。険しい山道。

＊危巌　「危」は、危険を感ずるほど高いこ

と。

＊何足愁　「不足愁」に同じ。反語になって、愁えを振り払う気合いがより強くなる。

＊林下　隠者が、世を避けてとどまる山林をさす。

＊旧樵儔　樵は木こり。漁師とともに、しばしば世を避けた隠者の仮の姿としてあらわれる。「儔」は、「疇」に通じ、同類、仲間、グループの意。

＊偏喜　「偏」は、特に。残りの人生が少なくなると、ますます、どんな小さなことでもありがたい。

＊天幸　個人の努力によるのではなく、天が与えた幸福。僥倖。

＊又遇　「又」は、さらにまたの意。二度目の鬼の舌震訪問か。あるいは、少年時代、山林の中で育ったからか。

＊錦繡秋　錦に美しい模様を刺繡した織物。美しく、素晴らしい事物にたとえる。日本では、錦は赤系の派手な色ゆえか、秋の紅葉のたとえによく用いられる。

＊島根県に来遊　『島根県歴史人物事典』田能村直入の項（藤間亨氏担当）等を参照。

【解説】「鬼の舌震」（現在一般の表記）は、島根県南東部斐伊川支流大馬木川の中流部にある約三キロにわたる渓谷。花崗岩が浸食されて、両岸に屹立。河底には、甌穴のある大岩がころがる。『出雲国風土記』仁多郡・山野の条・恋山にこの名勝の伝説が載せられている。ワニが舌を震わせるくだりは、『出雲国風土記抄』等に見える、民間伝承による。「したひやま（恋山）」が、「したぶる」に転じ、「わに（鰐魚）」が「をに（鬼）」に点ずることによって、「鬼の舌震」の伝説が生じたのであろうか。

嶮路危巌何足愁
我元林下旧樵儔
老来偏喜多天幸
又遇渓山錦繡秋

田能村直入（一）

嶮路危巌何ぞ愁うるに足らん
我は元林下の旧樵儔
老来偏えに喜ぶ天幸多くして
又遇う渓山錦繡の秋

【大意】この地の険しい道や恐ろしいほど高い岩など、何の心配があろうか、なぜなら、実はわたしはもともと森の中で、世を避けた古くからの木こり達の仲間だったのだから。年を取ってからはなおさらのことに、天がたくさんの幸運を下してくれて、故郷の竹田で過ごした

藤間氏によれば、「このころの出雲地方では書画鑑賞熱が流行しており、直入の来雲を感激をもって歓待する。これに対して、直入は南画の鑑賞ならびに煎茶道を指導した。このため、出雲に文人遊びが盛行し、出雲の文化史上でも極めて重要な足跡を残す」。

〔田能村直入・二〕

＊半日　もともと、昼の半分程度の時間、日本語と同様、長い時間を指す。

＊渓辺　谷の付近。ここでは、遊歩道をいうのであろう。

＊両山絶壁　両岸絶壁。平仄の関係で「岸」を「山」に変えた。

＊墨客　本来は、墨を擬人化した言い方だが、文人一般を指すようになった。

＊胸中曠　転句・結句は「胸中丘壑」を意識する。黄庭堅・子瞻（蘇軾のこと）の枯木に題す「胸中元より自ら丘壑有り」という句をもとにした成語であるが、すでに六朝から、文人は、俗世界を離れて、自然の山水に遊び、山水の気を内面化するべきであるという、絵画観、文学観があった。「曠」は広々として何もない状

ときと同様に、谷川流れる山の、錦の織物のように美しい秋の景色にまた出会えたことが嬉しくてたまらない。

【解説】田能村直入（一八一四～一九〇七）。文人画家。名は痴。幼少期より田能村竹田に師事、後に竹田の養継子となった。生地豊後直入郡（竹田藩・岡藩）に因んで、明治期より直入と号す。漢詩は広瀬旭荘に学んだ。竹田に従って大阪に入り、近畿を遊歴、堺で漢詩結社、咬菜吟社を設立。大塩平八郎とも交流。画業は益々盛んになり、明治に入ってから南画家の中心人物となった。一八七八年、京都府画学校（現京都市立芸術大学の前身）設立を建議。このころ、出雲の富豪絲原家の招きに応じて、一八七八年及び一八七九年に島根県に来遊。＊以下の四首連作は、このときの詩であろう。後、京都府画学校の校長をつとめ、日本南画家協会の設立に関わった。

初めて、鬼の舌震に入って、山々を彩る美しい紅葉に感動した様子。故郷竹田地方は、江戸時代、木材の生産で有名だったから、近くの山を散策すれば、木こりにもしばしば出会ったことであろう。山水画を愛する気質もその中で育ったに違いない。起句、承句は、六十代の年齢で、案内人に老体をいろいろ気遣われるのに対して、なお意気盛んである様をふざけて言い返しているのだろうか。

態。雑念なく、自然の美しさを吸収できるだけ吸収することができる状態をいうのであろう。

＊収得　得は、助辞。収を二文字に引き延ばした。取得する、手に入れる。

＊幾多　数や量がどれほど、という意味。英語のhow many, how much。どれほど多くの、という感嘆の気持ちが起こるということは、その量や数はかなり多いということである。したがって、たくさんの、と意訳することもできる。

＊丘壑　「胸中丘壑」の語による。

〔田能村直入・三〕

＊老楓　老いた楓樹は、秋冷ですぐに赤くなるという。日本のカエデと中国の楓は、葉の形状は似るが、中国の楓の葉は何倍も大きい。別の種であるが、日本の漢詩人は承知の上で「楓」字を用いる。

＊安分　自分の与えられた本分をまもること。「分」は、人ごとに運命として分け与えられたもの。青年期より、禅を修した直入は、禅語の「知足安分」が念頭にあったのかもしれない。

＊人跡　人の足あと。

半日渓辺去又来
両山絶壁合還開
自歓墨客胸中曠
収得幾多丘壑回

(田能村　直入　二)
半日渓辺去りて又来る
両山絶壁合いて還た開く
自ら歓ぶ墨客　胸　中曠しくして
幾多の丘壑を収め得て回るを

【大意】半日かけて、渓谷のそばをいったりきたりしている。両岸の絶壁が、閉じたかと思うとまた開く。ああうれしい、文人墨客たる私は、心が限りなく広いので、いくつもの山や谷の美しい景色をその心に収めて帰ることができる。

【解説】風狂にこの山水を練り歩くのは、我ながら滑稽なほどである。でも、気に入ったのだからしょうがない。この自然を味わうにふさわしい自分という人間が、この地にいるというありがたさ、巡り合わせの不思議さを、これからの南画界を背負おうとする自負をにじませながら詠っている。

老楓安分在深山
人跡疎辺占静間

(田能村　直入　三)
老楓分に安んじて深山に在り
人跡疎らなる辺りに静間を占む

＊**疎辺**　「疎」は「疏」の俗字。稀であること。「疎処」と同意。「辺」をあたりの意で用いた。
＊**占静間**　「間」は、本字は「閒」。ここでは「閑」の意。「清閑」と同意。
＊**却怪**　双声の語。印象的な子音の連続で、転句の驚き、意外性を強調する。
＊**春情**　男女の恋愛感情、情欲。
＊**猶未忘**　年老いて捨てたはずの春情をまだ忘れておらず、春情を催したようだ。
＊**也逢**　「也」は、「亦」に同じ。「……もまた」の意の副詞。唐詩でよく用いる。隠居して悟った風であって「も」というつもりか。
＊**青女**　霜や雪を司る女神。晴れた青天（黒みがかった青。古典では夜の空も青天という）から霜が降ることを古代人が不思議に思って、女神を思い浮かべたのであろう。さらには晩秋を司る女神とされた。
＊**発紅顔**　紅顔は、若者の血色のよい顔色。さらには、青少年時代の活発なさまを指すようになった。発は隠さないで、外に現れること。恥ずかしくて顔を赤らめているわけではない。

却怪春情猶未忘
也逢青女発紅顔

却(かえ)って怪(あや)しむ春情(しゅんじょう)猶(な)お未(いま)だ忘(わす)れずして
也(ま)た青女(せいじょ)に逢(あ)って紅顔(こうがん)を発(はっ)するを

【大意】年老いた楓は、自分の身の程をわきまえて、奥深い山に植わっている。訪れる人の足跡もまばらなところで、静かで穏やかな世界を独り占めしている。それなのにおかしいことだ、この楓はいまなお恋心を捨てきれないでいるようで、青空から降りてくる霧霜を司る女神の青女に出会うや、顔を真っ赤にしているよ（紅葉することをいう）。

【解説】老楓は、眼前の光景であるとともに、自分自身を投影しているのであろう。老いて、「知足安分」しようとしても悟れない。この素晴らしい秋の景色を見て、若いときの気力や美への愛がよみがえる。今後の南画界を牽引していこうという、野心に満ち満ちている

巌腰紅葉枕渓流
眠月臥雲霜露秋
山色粧来如有待
不知山色待吾不

（田能村(たのむら)　直入(ちょくにゅう)　四）
巌腰(がんよう)の紅葉渓流(こうようけいりゅう)に枕(まくら)し
月(つき)に眠(ねむ)り雲(くも)に臥(ふ)す霜露(そうろ)の秋(あき)
山色粧(さんしょくよそお)い来(き)たるは待(ま)つ有(あ)るが如(ごと)し
知(し)らず山色(さんしょく)吾(われ)を待(ま)つか不(いな)かを

【大意】大きな岩の中腹に紅葉がかかっており、谷川に臨んでいる。

〔田能村直入・四〕

＊**巌腰**　巌は岩とほぼ同じ。山のような大きな岩。巌腰は、本来は、大岩の中腹あたりをいうと思われるが、岩の側面全体を指すのかもしれない。

＊**枕渓流**　「枕」は、平仄の関係で「臨」字の代わりに用いた。ある地形や事物が寝転がって枕にするぐらい近いということであろう。

＊**眠月臥雲**　禅語の「臥月眠雲」を分解して組み直した。「臥月眠雲」は、山野に隠遁して、清らかで趣のある日々を送ること。直入は、黄檗宗門で禅に励んでおり、晩年は住持にもなっている。

＊**山色**　山の景色。

＊**如有待**　杜甫・後遊「江山待つ有るが如し、花柳更に私無し」。

＊**不知**　不知＋疑問文で、……なのかしら。

＊**不**　句末の「不」はふ（ふう・ひゅう）と読み、反復疑問文を作る。

〔**別火千秋**〕

＊**かしこみし**　「かしこむ」は、和歌にはあまり用いられない。恐れること。上古風の語。

月の光の中で眠り、雲の上に臥してるのだ、霜や露の下る晴れ渡った秋の夜に。山の景色は、色とりどりに装って、何者かを待っているかのようだ。ひょっとしたら、ほかならぬこの俺が絵を描いてくれるのを待っていたのかも。

【解説】山々はあたかも修行しているかのように、己を高め、私が来るのを待っていたかのようだ。その期待に応えて、さあ、これからおまえ達の精神を写した、立派な絵を描いてやろう。創作意欲に駆られる、自分自身に驚きながら、この連作を締めくくったのである。

別火（べっか）　千秋（ちあき）

かしこみし＊　鬼（おに）もありけん　岩山（いわやま）も　心（こころ）やすけ（げ）に＊　かよふ（う）＊猿（さる）かな

【大意】誰もが恐れていた鬼もいたであろうこの岩山も、時がたち、猿たちが気安く駆け回っていることよ。

【解説】「鬼」の語によって、風土記の「わに」を指しているようには思えない。「鬼の舌震」の名から、訳の分からない異形のものにこの辺り一帯が太古に支配されていたと夢想したのであろう。「猿」は、優雅な和歌にはふさわしくない題材。大伴旅人「あな醜賢しらをすと酒飲まぬ人をよく見れば猿にかも似る」の如く、ふざけた歌でしか使われない。前半の訳の分からない神世の世界と後半の卑俗な現実世界の単純な重ね合わせが面白い。「かしこむ」と「心やすげ」、「あり」と「かよふ」、「鬼」と「猿」、重々しさと軽さが対比されている。おどろおどろしい奇岩によって、開かれそうになった異世界への入り口が、猿の姿を見ることによって無事閉じられる、安心感そして残念感がこの歌の持ち味であろうか。太古からの長大な時間の推移に対する感慨も感じられる。

松江　曲川

雪(ゆき)なたれ(だれ)*　何処(いずこ)や鬼(おに)の　舌(したぶ)ふるひ(い)

【大意】雪に埋もれた鬼の舌震の渓谷。遠くで雪崩の音が聞こえる。どこだろうか。伝説の鬼が舌をぶるぶると振るわせているのは。

【解説】地下に湧き始めた春の気によって、雪が溶け雪崩が起こるというのが伝統的な季節感であるが、ここでは何者かがどこかで蠢動している気配を感じるのである。

この句は、芭蕉『奥の細道』また『猿蓑』所収の句「笠嶋はいづこさ月のぬかり道」を意識するであろう。芭蕉、曲川両句とも、真ん中に「いづこ」を入れることによって、あるものが存在していることは

＊心やすけに　気安げに。親しげに。のんびりと。

＊かよふ　行き来する。

〔曲川〕

＊雪なたれ　初春の季語。なだれは、本来山や坂などが崩れること。現在は「なだれ」だけで雪のなだれを指すようになった。

明白なのに、それに到達できないじれったさを表現しているようである。季語は、雪なだれ（春）。

第十三勝　出雲赤壁　雲州未だ黄州に譲らず

〔出雲赤壁由緒〕

＊勝　他にまさることから、優れたところを指す。ここでは名勝、景勝。

＊国　出雲国。

＊東北端　出雲赤壁は、松江からは東北の方向にあり、海に面している。また、隣の伯耆国である弓ヶ浜には山を南に越えることになるが、かなり近い。

＊雲津浦　現松江市美保関町雲津。雲津の名と表記は江戸時代からあった。

＊島根郡　潜戸の項参照。

＊高サ数十丈　一丈は約三メートル。

＊赭黒　「赭」は赤土、または赤土の色。

＊二十町　一町は約一〇九メートル。出雲赤壁に限らず、島根半島北岸東部（雲津浦から美保関灯台付近までの）約三キロメートルの赤色の海岸一帯をいうのであろう。誤解を招く書き方である。

＊葱々　草木が青々として盛んに茂っているさま。

＊轟々　滝の音がとどろき渡る様。

＊間鳥声ヲ聞キ　「間」は、間隔をおくという動詞であったのが、連続ではなく、間をおいて時々というような副詞的用法に

○出雲赤壁

勝＊ハ国＊ノ東北端＊ニアル雲津浦＊（島根郡＊）ノ海岸ナリ。断巌絶壁、高サ数十丈＊。其色赭黒＊ニシテ、凡ソ二十町＊ニ度タル。松アリテ葱々＊、岩ニ倚テ眠リ、瀧アリテ轟々＊、石ヲ銜テ砕ケ、間鳥声ヲ聞キ＊、会魚ノ躍ルヲ見ル＊。瀧ノ名ヲ尾野戸＊ト曰フ。高サ五間餘、幅一間有半＊。北風吹来リ、水波ハ稍興ルト雖トモ、亦当サニ中秋舟ヲ泛フルノ行アルヘシ。

【大意】この名勝は、出雲国の東北のはしにある雲津浦（島根郡）の海岸のことである。断崖絶壁で、高さは約一五〇メートル。その色は赤黒く、幅は二キロメートルほどずっと続いている。松が青々と生えていて岩に寄りかかって這い眠っているかのよう、滝が轟々と音を立てており、石にぶつかって飛沫を飛ばしている。時々、鳥の鳴き声が聞こえ、ひょっと、魚が飛び上がるのが見えたりする。その滝の名は尾野戸（おのえ）といって、高さは九メートルあまり、幅は二・七メートル。北風が吹くと、波が少し上がるが、それでも、中秋にはぜひ船を海に浮かべてこの赤壁あたりをずっと巡ってみるべきである。

【解説】出雲赤壁は、雲津より海路で西に数百メートルの所にそびえ立つ巨大な岩。鉄分を含んでいるので、酸化して赤黒くなっている。

変わった。

＊会魚ノ躍ルヲ見ル　「会」は、ある事象に出会うことから、たまたま出くわす意味となり、副詞化した。『詩経』旱麓「鳶は飛びて天に戻（いた）り、魚は淵に躍る」。

＊尾野戸　この瀧は、他書に見えず、不明。尾野戸もどう読むかわからない。「おのと」では意味をなさないので、しばらく「を（お）のへ（え）」と読んでおく。「をのへ」は、尾上。山や丘の頂。峰。

＊高サ五間餘、幅一間有半　一間は約一・八メートル。実見していないので、現在、瀧の存在も大きさも、不明。

〔松田淞雨〕

＊江風山月　江も風も山も月も、蘇軾・前赤壁賦に何遍も出てくるが、この四者がそろった「惟江上之清風、与山間之明月」の句を特に意識する。

雨森精翁が命名したという。地元でも知る人が少なかったこの勝景を、中国の赤壁に比することによって、かねて世に知らしめたいと思っていたのではないか。

中国の赤壁は、中国後漢末期の二〇八年、曹操軍と孫権・劉備連合軍の間の戦いが起こったところである。曹操の軍船が、この赤い巨大な崖の下で焼き尽くされ、敗走した。北宋の文学者・政治家蘇軾（一〇三七〜一一〇一）が、黄州に流されたとき、赤壁に遊覧して、有名な「前赤壁賦」、「後赤壁賦」を作った（一〇八二）が、それはこの古戦場の赤壁とは場所が違う。星野のこの文は、ところどころ蘇軾の『前赤壁賦』を利用している。

雲津浦は、『風土記』に、「久毛等浦（くものうら）」とある村。平安末期に、源義親がこの地で反乱を起こし、鎮圧された（一一〇八）というが、詳細は分からない。

松田　淞雨

江風山月満孤舟
斗酒鱸魚好此遊
一起髯蘇重著筆

江風山月孤舟に満ち
斗酒鱸魚此の遊びに好し
一たび髯蘇を起こして重ねて筆を著かしめば

*孤舟　連れのない一隻だけの舟。孤独ではあるが、自然の景物を独り占めしたような快感もある。『前赤壁賦』に「孤舟の嫠婦を泣かしむ」の句がある。

*好此遊　前句対の七絶で、「満孤舟」と対になるとみて、「此の遊びに好し」と読んだ。やや、変な句作り。「此」は、近体詩ではあまり使わないが、もしあえて使うときは、他の場所や時間では得られないまさにこのとき、といった、一回性、瞬間の感動を伴うようである。『後赤壁賦』「一道士を夢みる。……曰く、赤壁之遊びは楽しき乎」。

*一起　ある事が一旦起これば。「一」は、「一旦」「もしも」のような仮定のニュアンスがある。ここの「起」は「起死回生」のように、死人を生き返らせるのつもりで用いているか。

*髯蘇　蘇軾の別称。彼は髯（ほおひげ）が多かった。蘇軾・客位假寐「同僚事を解せず、慍れる色もて髯蘇を見る」。

*重著筆　「著」は「着」の正字。筆を紙に着けて、詩文書画をかくこと。

*雲州　出雲国の別称。早くから、用いら

雲州*未肯譲黄州
雲州未だ黄州に譲るを肯んぜず

【大意】長江とみまがう海を渡る風と赤壁を彷彿とさせる山にかかる月からの光とが、一艘の船にみちみちている。一斗の酒や鱸の魚があるのは、この度の遊覧にうってつけである。ひげ面の蘇東坡さんを生き返らせて、この景色を書かせたら、どうだろう。わが出雲国の赤壁は、決して蘇東坡さんが『赤壁の賦』で詠んだ中国黄州の赤壁には勝るとも劣ることはあるまいぞ。

【解説】蘇軾の前後『赤壁賦』を意識。中国と日本の風景が二重写しになるような効果がある。松田淞雨は『出雲名勝摘要』成立に関わった雨森精翁の高弟。精翁が淞雨らに現地に赴かせ詩を作らせて、新観光地として顕揚しようとしたことは十分に考えられる。

吉岡　敬勝

焼立し*　船のけふりも　忍ふまて　春は霞める*　波の上かな

【大意】あの中国の赤壁で燃え上がった船の煙が想像されるほどに、春は他の季節と違って、霞が出雲赤壁の海上に一面に広がっている。

【解説】吉岡敬勝は、もと松江藩士、明治になって裁判所書記をつとめた。森繁夫『名家伝記資料集成』に「吉岡敬勝　松江藩士　裁判所

書記　亀文門　出雲国皇学者歌人学系畧初篇」とある人。「たかかつ」の読みはこの書のルビに従った。
この和歌の「船」には、維新後、日本海上にも見られるようになった、勇壮に煙を吐き出す汽船の姿も重ね合わせられているのではないか。赤壁で幾千万の船が焼かれた故事、眼前の霞んだ出雲赤壁、新しい西洋からの異物たる蒸気船、中国・日本、上古・王朝・古代・維新の言葉や観点を交錯させて、出雲赤壁を料理している。

れていたが、江戸時代に松江藩の雅称として定着。
〔吉岡敬勝〕
＊焼立し　万葉集「志賀の海人の火気（ほけ）焼立（やきたて）て焼く塩の辛き恋をも吾れはするかも」とあるように、上古風の言葉。
＊霞める　王朝和歌の好む言葉。

第十四勝　佐々木高綱の墓　もののふの跡

○佐々木高綱墓

松江ヲ距ル西南数町*、乃木村*（意宇郡*）、善光寺境内ニアリ。円塔一基、高サ一丈*、傍ラニ石燈*八箇*、老松三幹*アリ。廻ラスニ垣ヲ以テス。法名ヲ心瀧院殿法嶺源性大居士*ト曰フ。佐々木秀義*ノ第四子*ノ

〔佐々木高綱墓由緒〕

***松江ヲ距ル西南数町**　一町は約一〇九メートル。旧松江市と乃木村の境（雑賀町）あたりから床几山を越えるルートならば、方向も、道のりも大体合っている

ようだ。

＊乃木村　現松江市浜乃木町のあたり。

＊意宇郡　現松江市南部の旧郡名。

＊一丈　約三メートル。

＊石燈　石灯籠。中国（語）にはなく、日本独自の物である。

＊八箇　箇は個と音義同じ。漢音「カ」、呉音「コ」。広く物や事を数えるのに用いる。上の「基」と重ならないようにした。

＊幹　日本語の「もと」（例えば「ひともとの松」）を、漢字に当てたか。

＊心瀧院殿法嶺源性大居士　墓塔の碑銘による。後世の人の命名であろう。塔を新たに作った時に創作したのかもしれない。法名の「心瀧（しんろう）」は通称の「四郎（しろう）」と音を通わせたか。宇治川の急流（瀧）も意識にあったかもしれない。

＊佐々木秀義　一一一二〜一一八四。平安時代後期の武将。源義朝につかえ、平治の乱で敗れて近江佐々木荘を追われ、相模にのがれる。源頼朝の挙兵に息子とともに応援、功を認められ、近江にかえる。一一八四年、伊賀平氏との戦いで討ち死

リ。源頼朝ニ従ヒ、元暦元年、宇治川ノ役先登第一ノ功名ヲ挙ク。頼朝ノ薨後＊、世ヲ遁レテ南都＊ニ赴キ、竟ニ西国＊ヲ周クリ、建保四年二月十五日ヲ以テ卒ス。年七十五。

【大意】この墓は、松江から西南に数町離れた乃木村（意宇郡）善光寺の境内にある。丸い形の塔が一基、高さは一丈で、そのそばに石灯籠が八個ある。石垣で周りをぐるっと囲んでいる。佐々木高綱は、法名を心瀧院殿法嶺源性大居士という。佐々木秀義の四番目の子である。源頼朝に臣従して、元暦元年（一一八四）宇治川の戦いで、一番乗りの軍功をあげ、名声がとどろいた。頼朝の没後、出家して奈良で修行をし、さらには、西日本各地を周遊し、建保四年（一二一六）二月十五日に死んだ。数え年七十五であった。

【解説】善光寺は、松江市浜乃木にある、時宗寺院。実は、この佐々木道綱の墓及び周辺は、二〇一四年に改修されて、挿絵にあるような往時の面影をとどめていない。

佐々木高綱は、平安後期から鎌倉時代の武将。近江出身。通称は四郎。法名は西入。佐々木秀義の四男。源頼朝の挙兵に参加し、各地で転戦。一一八四年、梶原景季と宇治川で先陣争いをした。東大寺の再建につくし、建久六年高野山で出家。親鸞の弟子となったともいう。

に。七十三歳。

＊第四子　ゆえに高綱は四郎と呼ばれる。

＊頼朝ノ薨後　一一九九年落馬で死亡。「薨」は諸侯級の人の死に対して用いる語。

＊南都　古都奈良の別称。京都に対する称。興福寺等の寺院が中心の都市と意識されていた。

＊西国　近畿以西の主に中国地方をいうのであろう。

通説では、建保二年十一月死去。ところが、本項では、この墓の碑銘により、諸国放浪の後、建保四年、出雲国で没したことになっている。これは、挿絵にも書かれているが、伝高綱墓の側面に刻まれた碑銘によっている。

この碑銘は、早くより、摩滅剥落していた。『松江市史』（一九四一）の善光寺の項目に、おそらく拓本等をもとにした翻刻が付されている。この碑銘や伝説によると、善光寺の本尊はもと源頼朝の守本尊で、頼朝の歿後、高綱はその夫人政子よりもらいうけ、厨子とともに各地を巡礼、当寺を建造したという。寺はもと、現在の円成寺の山内にあったが、円成寺建立に伴い、現在地に移転したと伝えられる。元禄年間、時宗の末寺となったが、高綱の納骨五輪塔は荒廃したらしく円塔高さ八尺の記念塔を製作し、もとの五輪塔をその内部に覆った。

佐々木高綱といえば、宇治川の先陣争い。木曽義仲と源義経が宇治川で相対したとき、義経方の佐々木高綱と梶原景季とは、源頼朝から与えられた名馬生唼（いけずき）と磨墨（するすみ）とで先陣を争い、勇気と知略によって高綱が勝ち、義仲軍は総崩れとなった。

〔松田淞雨〕

*奮然　ふるい立つさま。勇気・気力などをふるい起こすさま。

*瀧　中国ではあまり使わない字。日本の垂直な「たき」のみではなく、水平に近い急流・奔流をも指す。ここでは押韻（江韻）の関係で、「ラウ（ロウ）」とよんでいるのであろう。

*西軍　木曽義仲配下の軍。

*勢已降　情勢（戦況）が早くも降伏状態になっていること。

*菟水　宇治川のこと。伝説上の皇族、菟道稚郎子命（『日本書紀』の表記。うじのわきいらつこのみこと）にちなんで、「宇治」という地名が生まれたという。蕪村・澱河歌「菟水澱水に合す」。

*流芳　よい香りをあたりにただよわせることから、名誉を後世に残す意味になった。

*誰図　誰が思おうか。豈図らんや、誰か知らんや、に同じ。

*埋骨　遺骸を埋めること、すなわち故郷を離れた遠い地で死ぬこと。蘇軾・獄中作「是（いた）る処の青山骨を埋ずむ可

奮然*叱馬蹴奔瀧*
便見西軍*勢已降*
菟水*流芳*千歳下
誰図*埋骨*在松江

松田　淞雨

奮然として馬を叱して奔瀧を蹴る
便ち見る西軍の勢已に降るを
菟水芳を流す千歳の下
誰か図らん骨を埋ずむること松江に在らんとは

【大意】佐々木高綱が気合いもろとも、名馬生唼を叱りつけて、瀧のような本流を蹴り進めさせるや、忽ち、宇治川の西側に陣を構えていた、木曽義仲方の軍が総崩れになる形勢となった。高綱の名声は、宇治川の流れのように、千年の後も流れ続けている。しかし、意外なことに、彼は骨をこの松江に埋めることとなった。このことを知る人は甚だ少ない。

【解説】宇治川の先陣争いの懐古から、宇治川が流れるように時が流れて、眼前の墓に意識が戻ってくる。ふと我に返る、そして、作者自身がこの場にいる巡り合わせの不思議さ。奇妙な感覚を表現した。

先登*功績去無蹤
抔土*空餘三尺封*

三島　雲涯

先登の功績去りて蹤無し
抔土空しく餘す三尺の封

し」。
〔三島雲涯〕

＊**先登**　本来は、まっさきに敵の城壁を登ること。後には、「登」の義を離れて、戦争一般の先鋒をいうようになった。

＊**抔土**　手でひとすくいする程度の土。『史記』張釈之馮唐列伝の故事から、墓を指すようになった。駱賓王の檄文「一抔の土未だ乾かざるに、六尺の孤安くにか在る」が有名。

＊**三尺封**　封は土をもった墓のこと。三尺はその高さであろう。典故として用いたのであって、高綱の墓自体の大きさとは関係ない。

＊**一霎**　「霎」は本来、にわか雨の音。引いて、短い時間を表す。

＊**寒声**　厳寒の風雨の音。すさまじい気持ちを引き起こす。こがらし。

＊**白揚雨**　「揚白雨」とあるべきところ。おそらく、訓読の調子と平仄の関係でわざとこの語順にした。白雨は、にわか雨のこと。激しくしぶきをあげて、白く見えるからであろうか。あられまじりとも考えられる。蘇軾・望湖楼「白雨珠を跳ら

一霎＊寒声＊白揚雨＊
似聞菟水叱驕龍＊

一霎(いっそう)の寒声(かんせい)白(しろ)く雨(あめ)を揚(あ)げ
菟水(とすい)に驕龍(きょうりょう)を叱(しっ)するを聞(き)くに似(に)たり

【大意】一番乗りの功績はもはやこの世に後をとどめず、ひとすくいの土に三尺四方の墓地がむなしく残っているだけである。一刹那、寒風の音高らかに、真っ白にあたりに雨をなぐりつけた。宇治川に、いきり立った龍のごとき馬を高綱が叱りつける声が聞こえてくるようだ。

【解説】前首とは逆に、高綱の墓前に歴史のむなしさを感じていると、にわか雨をきっかけに、過去がよみがえる趣向。おそらく、前首と同時に作られたのであろう。

松江(まつえ)　可物(かぶつ)

ものゝふの＊　跡(あと)訪(と)ふ＊露(つゆ)の　光(ひかり)かな＊

【大意】武士高綱の足跡を訪ねて、この墓地に行き着き、御霊を弔うことにする。墓には、露の玉が滴って、輝いている。その光をみていると、宇治川の先陣争いの水しぶきの幻想が浮かんでくる。露のようにむなしい一生と言えば一生だが、その生前の栄光も今なお語り継がれているのである。

して乱れて船に入る」。

***驕龍**　高綱の乗った名馬生唼。駿馬を龍に喩える。「驕」は、本来勇壮な馬を指すことば、引いて傲慢や凶暴の意となる。

〔**可物**〕

***もの丶ふ**　歌語としては、多数を示す言葉に先行する枕詞として使うが、俳諧ではいわゆる武士の意味。

***跡訪ふ**　昔の人を忍んで、遺跡を訪ねたり、事跡を探ること。さらに、なくなった人の霊を弔い、仏事を行う意味になった。

***露の光**　「露の光」は、中世より、仏教的な無常観、はかなさの象徴として詠まれる。

【解説】可物は、本名、履歴等不詳。曲川門の俳人。『風流新誌』に作品が載る。それによれば、後に一外と号を変えたらしい。

芭蕉『奥の細道』の「夏草や兵どもが夢の跡」、「五月雨の降り残してや光堂」等の句境を生かしている。漢詩のように、宇治の先陣争いのことは言及しないのに、もののふの語によって、自然にそれを思い浮かばせる。いろいろな心の動きが、圧縮的したがって言葉足らずに表現されているのが、いかにも俳諧的である。季語は露（秋）。

第十五勝　龍頭ヶ瀧　西国第一の瀑布

○龍頭瀧

松笠村＊（飯石郡）＊、鳥屋丸山中ノ瀧、是レナリ。高サ数十丈＊、幅凡ソ十間＊。下ニ淵潭アリ。奇巌怪石聳立シテ、蛟龍＊ノ飛ハント欲スル形状ヲナス。古木ノ葱々＊ト起臥スルハ、恰モ龍ノ鬚髯＊ヲ垂ルヽカ如ク、口頭＊ノ深々ト白霧ヲ籠＊ムルハ、恰モ龍ノ雲霓＊ヲ起コスカ如シ。其声雷霆＊ニ異ナラス。一遊之レヲ眺メハ、光景佳絶＊ニシテ、人ヲシテ塵外＊ノ想ヲナサシム。

【大意】松笠村（飯石郡）鳥屋ヶ丸山にある瀧のことである。高さ数十丈、幅は全て合わせて十間、瀧の下にはふちが広がっている。奇怪な岩がそびえ立っており、龍が今にも飛び立とうとするような姿を見せている。青々とした古色蒼然たる樹木が立ったり臥したりしているのは、まるで龍が髭を垂らしているかのよう。その龍の口のあたり、白い霧がずっと立ちこめているのは、ちょうど龍が雲や虹を湧き起こそうとしているかのようである。瀧の音は、雷のとどろきの音と全く同じである。ここに遊びに来て、眺めると、その光景の素晴らしさはこの世のものとは思えぬほどで、見るものに俗塵を逃れた世界に入り込んだような気持ちにさせる。

【解説】龍頭ヶ滝（現在の表記）は、日本の滝百選に選ばれており、

〔龍頭瀧由緒〕

＊**松笠村**　現雲南市掛合町松笠。

＊**飯石郡**　現飯南市の大部分、出雲市の一部、雲南市の一部より成り立つ。

＊**数十丈**　一丈は約三メートル。

＊**十間**　一間は約一・八メートル。瀧の規模には誇張がある。

＊**蛟龍**　みずちとたつ。本来は二種の伝説上の動物だが、漠然と龍の類いを指す。

＊**葱々**　草木が青く茂りエネルギーに満ちた様。

＊**鬚髯**　顎やほおに生えるひげ。

＊**口頭**　口のこと。頭は助字。

＊**籠**　漢詩文では籠められる意だが、日本語では何かを空間に詰め込むようなニュアンスか。

＊**雲霓**　雲と虹。あるいは虹を漠然と指す。

＊**雷霆**　すさまじい雷鳴。霆は大きな雷。稲光よりも音に重点がある。

＊**佳絶**　「絶」は程度が甚だしく、他に類例がないほどに隔絶していることを示す助字（「凄絶」、「壮絶」等）。

＊**塵外**　世俗を離れた深山幽谷。

今も中国地方随一の名瀑と称される。落差四十メートルの雄滝とその下流三十メートルの雌滝からなるが、本項では雄滝にのみ言及する。滝の裏側には、広い岩窟があり、裏見の滝を眺めることもできる。偶然であろうが、前項の佐々木高綱の愛馬生唼（池月）出生の地という伝説もある。

「鳥屋丸山」は、現代の表記は「鳥屋ヶ丸山」。雲南市と出雲市の境にある。標高六八六メートル。この山から発する滝谷川の下流に、龍頭ヶ滝がある。「松笠」の地名も、そこから眺められる松ぼっくりに似た本山の形状によるのであろう（なお、雲南市木次町湯村にも同名の山があり、中世山城の遺蹟としてはこちらが有名）。

清水南山（序）

龍澄在吾雲之松笠村。去松江十三里。巉巌絶壁、相環如屏風。斯処即洞也。洞中東西四五十歩。西崕掛瀑布。去崖上一丈餘、有突巌。瀑水激之砕如絲、咆哮鳴響如雷。土人曰、西国第一名瀑布。実絶奇也。瀑水飛下三十三尋云。事見風土記。

【訓読】龍澄は吾が雲之松笠村に在り。松江を去ること十三里。巉巌絶壁、相環りて屏風の如し。斯の処即ち洞也。洞中は東西四五十歩。

〔清水南山・序〕

＊雲　雲州。雲藩。出雲国、また松江藩のこと。

＊去松江十三里　一里は約三・九キロメートル。道のりならばほぼ妥当か。

＊巉巌　険しくてそびえるような山の岩のこと。また、険しい様。

＊斯処即洞也　瀧の裏に、広い空間があるのを指している（裏見の瀧を観るスポッ

ト）。
＊西崕　崕は崖の異体字。
＊瀑布　瀑は、空中に飛び出て落下する水流。遠目に、白い布のごとく見えるので、たきを瀑布という。
＊激之　水流が障碍物にぶつかって、湧き上がったり、飛び散ったりするさま。
＊咆哮　本来は大きな声でわめくこと。波や雷が大きな音をだすことにも用いる。
＊鳴響　詩文ではあまり用いない。日本語常用の「鳴り響く」によるか。
＊尋　一尋は、約一・八メートル。
＊岸崎佐久次　江戸中期の松江藩士。藩内をくまなく踏査し、『出雲国風土記』記載の地名や社を比定した『出雲国風土記鈔』を著した。民間伝承、口伝も豊富に記載。

西崕に瀑布を掛く。崕上を去ること一丈餘りに、突巌有り。瀑水之に激して砕くること絲の如く、咆哮鳴響雷の如し。土人曰く、西国第一名の瀑布なり。実に絶だ奇也。瀑水飛び下ること三十三尋なりと云う。事は風土記に見ゆ。

【大意】龍頭ヶ滝は我が出雲藩の松笠村にあり、松江から十三里はなれている。ゴツゴツとそびえ立った絶壁は、ぐるりと屏風のように滝を囲んでおり、ここが洞窟になっている。洞窟の中は東西歩いて四、五十歩。西の崖に滝がかかっている。この崖の上から一丈あまり下ったところに、突き出た岩があり、滝の水がこれにぶつかって糸のように砕け広がっている。その雄叫びのごとき響きは雷鳴のようで、土地の人は西国第一の滝であると言っている。本当に素晴らしい景色である。滝の水が落ちる高さは三十三尋という。この滝に関しては『出雲国風土記』（実は『出雲国風土記鈔』）に記載がある。

【解説】清水南山は、生没年不明。江戸時代中期の松江藩士。『三清堂詩草』をあらわした。名は柔。字（あざな）は伯翼。別号に酔翁。清水姓の松江藩家臣が多く、どの時期の、どの人か特定に至っていない。各種人名辞典の記述は、横山耐雪『出雲詩綜』の清水南山の小伝を襲っている。

「龍澄」は、「龍頭」の別表記。岸崎佐久次*『出雲国風土記鈔』の注の部分にもこの表記が見える。そもそも龍頭ヶ滝及び松笠の地名は、『出雲国風土記』原本には見えない。清水南山が『風土記鈔』を『風土記』本文と見なした可能性が高い。

「三十三尋」は、日本において、瀧の名としてよく用いられる。『法華経』普門品の説く「三十三身」に基づき、三十三種の観音がいるという俗説による。この瀧も、観音を祀っている（但し、挿絵に見えるような観音祠は現在礎石を残すのみで、少し奥に地蔵を祀っているようである）。

峭壁*高懸一派*垂
飛烟*走碧気凄其*
請看三十三尋練*
砕作千条万緒絲*

（清水　南山　一）

峭壁(しょうへき)高(たか)く一派(いっぱ)を懸(か)けて垂(た)らし
飛烟(ひえん)碧(みどり)を走(はし)らせ気(き)は凄其(せいき)
請(こ)う看(み)よ三十三尋(さんじゅうさんじん)の練(ねりぎぬ)
砕(くだ)けて千条万緒(せんじょうばんしょ)の絲(いと)と作(な)るを

【大意】切り立った崖に高々と分岐した滝の流れがかかって真下に落ちている。水しぶきが煙のように飛び散って、緑色を虚空に走らせて、すさまじい涼気である。この三十三尋の練り絹が砕けて、一千すじに

〔清水南山・一〕

＊峭壁　切り立ったけわしい崖。

＊一派　本来は川の支流。瀧の水がバラバラに散らばった様を表現。あるいは、もや状になって一面に広がる様をいうのかもしれない。

＊飛烟　ただようもやや霧。

＊気凄其　凄其は本来寒さがすさまじいさま。後に涼しいさまを指すようにもなった。『詩経』邶風・緑衣「絺兮綌兮、凄

其以風」に基づく。其は調子を整える助字。謝霊運・初めて新安桐廬口に往く「絺綌は凄其なりと雖も、授衣尚お未だ至らず」。

＊**請看**　読者の注意を自分の驚きに導く言い方。自分の感動を読者に共有してもらいたい気持ち。

＊**練**　瀧を長くて白いねりぎぬに例えた。

＊**千条万緒絲**　何万本の糸のごとく、瀧の水が幾筋にも分かれるさま。千端万緒と同意。

も、一万すじの糸にもなっている様を、どうかしっかりとご覧じて、心に刻みつけてほしいものだ。

【解説】三→千→万と数字をだんだん大きくして、瀧の広がるさまに対応させる。

（清水　南山　二）

一回来看一回宜　一回来り看れば一回宜し
二度看来二度奇　二度看来れば二度奇なり
欲画不成詩不到　画とせんと欲するも成らず詩とせんとするも到らず
瀑前把筆立多時　瀑前筆を把って立つこと多時なり

【大意】一度目来て看たときは一度目なりに感動があり、二度目には、看たところ、それはそれでまたちがった素晴らしさがある。絵にも描こうとしても完成することはできないし、漢詩でもこの境地を表現し尽くすことはできまい。滝の前で筆を執って考えあぐねて、ずっと立ち尽くすばかりである。

【解説】龍頭ヶ瀧は、渇水時と増水時の雰囲気がかなり違う。繰り返しばかりの詩に見えるが、平仄、修辞に周到な工夫が見られ、新奇さを狙っている。

島（しま）　重養（しげかい）

松笠（まつかさ）を　さして*きつれは（ば）　雨ならて（で）　ぬるゝ袂（るたもと）*や　瀧（たき）の白浪（しらなみ）*

【大意】松笠の山を目指していくというので、傘を差してきたのに、我が衣のたもとがいつのまにか濡れている。ああ、雨に濡れたのではなくて、（かといって失恋の涙で濡れたわけでもなく）滝の白波のしぶきにぬれたのであった。

【解説】瀧の下流から道を登っていく。川のしぶきにぬれ、傘を持ってくればよかったと思う。「ぬるるたもと」に、（失恋の前提の）恋の予感がただよい、名勝を訪ねる浮き立った気持ちが感じられる。

松井（まつい）　言正（のぶまさ）

瀧（たき）の糸（いと）は　真菅（ますげ）*のみの*と　みゆる哉（かな）　千（ち）よ*をいたゝ（だ）く　松笠（まつかさ）の山（やま）

【大意】たくさんの糸の筋のようにひろがった滝、それがますげで作られた簑のように思われることだ。千代もの長い時間を背負っているこの松笠の山は。

【解説】青々とした山の中で、大きく広がって落ちる瀧。全体として、

〔島重養〕

＊**松笠をさして**　松笠の地を目指すと傘（笠ではあるまい）を差すを掛けている。藤原輔相「住吉の岡の松笠さしつれば雨はふるともいな簑は着じ」をもとにしている。

＊**ぬるゝ袂**　主に恋の不調で流す涙でぬれた袂。

＊**瀧の白浪**　滝がたぎり落ちてできる白い波。また、白く落ちる滝。『万葉集』「み吉野の瀧の白波知らねども語りし継げば古思ほゆ」。

〔松井言正〕

＊**真菅**　菅（すげ）の美称。

＊**みの**　簑。茅・菅などの茎や葉、また、わらなどを編んで作った雨具。肩からかけて身に着ける。

＊**千よ**　『後拾遺集』読人不知「君が代を何に譬えむ常磐なる松の緑も千代をこそふれ」。

おおきな巨人の姿が思い浮かべられる。それは、長寿の仙人のような霊気みなぎる何かなのであろうか。それをみる人も不老長寿になるようなありがたさ。

北島三綱

ながらへて* われも千歳を 松笠*の 瀧のしら糸* 来てやむすはん*

【大意】 長く生きながらえて、こんな私でも飲めば千歳の寿命が期待できるという、この松笠の龍頭ヶ滝の白い糸のようになっている水を、ふたたびこの地に来て手のひらに受けて飲みたいものだ。

【解説】「ながらへて」は、「ちとせをまつ」と「きてやむすばん」の両方に掛かっている。滝の水を飲んで長生きし、長生きすることによって何遍もこの名勝を再訪したい。滝の霊的な魅力がこの上なく強調されている。

北島三綱のこの歌と、字句の全く同じ歌が、『出雲國名所歌集二編』（富永芳久撰　嘉永六年〈一八五三〉）に載っており、そこでは作者は季唯となっている。この季唯は今村照蔭という人の別名らしい。『名家伝記資料集成』（森繁夫編　中野荘次補訂　思文閣出版　一九九一再版）の同人の項参照。同書によれば、北島三綱は北島孝郷（のりさと）

〔北島三綱〕

＊ながらへて　「が」の濁点は原本にあり。

＊松　千歳を「待つ（期待する）」と「松」が例によって掛詞であるが、松は千年の緑を保つことから「千歳山」は松山をいう。『新古今集』読人不知「常磐なる吉備の中山おしなべて千歳を松の深き色かな」。

＊瀧のしら糸　紀貫之「春くれば滝のしらいといかなれやむすべども猶あわに見ゆらん」。

＊むすはん　両手を合わせて、水をすくう。紀貫之「むすぶ手のしづくに濁る山の井の飽かでも人に別れぬるかな」。

の別名。大社上官で、もとは今村氏二男で、北島分家の養子となった人。この今村氏が照蔭ならば、その実子ということになる。実父の歌を剽窃したわけではなく、むしろ実父の作品を示して他の二人に唱和をもとめたという状況であろう。病状の進んだ星野文淑に、確認、校正をする余裕がなかったのだろう。

妹尾(せのお)　春江(しゅんこう)　画(が)

【解説】この本の挿絵を描いた、妹尾春江については、桑原羊次郎『島根県画人伝』に「錦織霞江の門人。松江市藪の町住。明治十四年歿、享年詳らかならず」とある。雨森精翁の実家である妹尾家縁者か。島根県地図作成にも関わっていたらしい。「はるえ」とよむべきかもしれない。

出雲名勝摘要(いずもめいしょうてきよう)　巻之上(かんのじょう)　終(おわり)

【解読】巻之下が用意されていたが、未刻に終わったであろうことは、すでに述べた。

奥付　出雲出版文化の担い手達

明治十三年三月五日版権免許
同十四年六月刻成出版

編輯人　島根県平民
星野　文淑
出雲国　島根郡　西茶町　六百八十八番地

出版人　同
園山　喜三右衛門
同国　意宇郡　本町　五番地

売弘所＊
川岡　清助
一年舎

〔奥付〕
＊売弘所　書籍取扱店。出版資金も援助したと思われる。他の同時代の書籍の奥付により、川岡、一年舎、稲吉、有田は松江、西尾は平田（現出雲市平田町）、飯塚、石原は今市（現出雲市今市町）、足立は安来、今井、村上、高島、遠藤は米子の書店であることが分かる。藤井、小西は不明。

稲吉　吉蔵
有田　伝助
西尾　佐助
飯塚　宗三郎
石原　伝吉
藤井　猪之助
小西　宗十郎
足立
今井　兼文
村上　斎次郎
高島　晋太郎
遠藤　文九郎

【解説】山陰の出版文化を支えた人たちである。後に政治家としても活躍した川岡清助、漢詩をよくした一年舎主人槇説山の名が見える。今井兼文は現今井書店の創始者である。

資料一覧・主な参考文献

多数あるが、特に以下の文献がなければ、本書を書くことはできなかった。記して、学恩に感謝する。

『風月小誌』一号〜三号　平賀静遠等編　一年舎発行　明治十三年　国会図書館蔵

『風流新誌』一号・二号　平賀静遠等編　一年舎発行　明治十四年　国会図書館蔵

『出雲国皇学者歌人学系畧初編』（古曾志家興）芦田耕一島根大学名誉教授によって再発見、復印。芦田著『「出雲歌壇」覚書』（島根大学法文学部山陰研究センター所蔵）所収

森繁夫『名家伝記資料集成』（中野荘次補訂　思文閣出版　一九九一再版）

安達勝太郎『まぼろしの古跡小勝間山』（一九九三）島根県立図書館所蔵　※筆者は、安達喜久雄氏にご恵与いただいた。感謝申し上げる。

大日方克己「翻刻桑原家本『出雲風土記抄』」（山陰研究（第七号）二〇一五附録）

『蠖園集　門脇重綾遺稿歌集　翻刻』（境港歴史楽会　二〇一六）
『島根県歴史人物事典』（山陰中央新報社　一九九七）

終わりに

『出雲名勝摘要』の面白さを読者に知らせたいという一心で、ここまで稿を進めてきたが、果たして、紹介者として、自分が適任者であったかどうか、いささか心許ない。『出雲名勝摘要』は、なによりも読者を現地に立ちたい気持ちにさせる、観光案内書の側面が強いのだが、私はブッキッシュな人間で、旅行が好きではない。現地には、出雲赤壁を除いて、一度は足を運んでみたが、その体験はあまり生かされていない。挿絵も重要だということは、十分認識しておりながら、ほとんど触れることはなかった。地域研究の一環ならば、本当は現地調査を繰り返して、現在の様子、地形の変化、口伝を知る必要があるが、熱心であったとはいえない。

ふりかえるに、私はまず本書を文学として読みたかったようだ。漢詩、和歌、俳句の伝統が頂点に達し、煮詰まるところまで煮詰まった上で、なおかつ明治という新しい時代に対応しようとしている表現者達に共感を覚える。後には、漢詩はほとんど作られなくなり、旧派の和歌、俳句は、近代和歌、近代俳句に圧倒されていく。この時期だからこそできた、伝統的文学表現の最後の輝きに心を打たれる。

もとより、中国文学専門の私が、日本漢詩、和歌、俳諧の訳注に手を出すのは、蛮勇のそしりを免れまい。だが、無知ゆえの怖いもの知らずだからこそ、面白く『出雲名勝摘要』を読み続けられたのだと今では思う。原文の崩し字の解読には、島根大学法文学部の田中則雄教授（日本文学）、小林准士教授（日本史学）にお世話になった。本当はもっと専門家に教えを請わなくてはならなかったのだが、自信を失ってくじけそうだったので、自分勝手に解釈を進めていった。さぞかし、噴飯物の珍解釈が多いかと思う。今後は、誤りをご指摘いただいて、機会があれば改訂していきたい。

本書ができあがるには、多くの方にお世話になった。お名前をあげきれないが、感謝申し上げる。

〔付記〕本稿は、

科研費基盤研究（C）研究課題／領域番号19K00296

近代山陰地域の文化教養環境における漢詩文の位置―若槻克堂と剪淞吟社の学際的研究（期間　二〇一九～二〇二一年度　研究代表者　要木純一）

及び、

島根大学法文学部山陰研究センター　山陰研究共同プロジェクト　近代山陰地域の文化教養環境における漢詩文の位置―若槻克堂と剪淞吟社の学際的研究（課題番号一九一三　期間　二〇一九～二〇二一年度　研究代表者　要木純一）

及び、

島根大学法文学部山陰研究センター　山陰研究プロジェクト　山陰地域の文学・歴史関係資料の研究と活用に関するプロジェクト（課題番号　一九〇二　期間　二〇一九～二〇二一年度　研究代表者　野本瑠美のち田中則雄）

による成果の一部である。

■著者紹介
要木純一（ようぎ　じゅんいち）

1961年　山口県に生まれる。

現在、島根大学法文学部教授（中国文学）。

著書『明治の松江と漢詩　明治初期の出雲漢詩壇』(今井出版　山陰研究ブックレット４)。

論文「明治初期の出雲漢詩壇について」

（勉誠出版『アジア遊学』135号）ほか。

山陰研究ブックレット10
訳注 出雲名勝摘要―漢詩・和歌・俳諧による明治出雲旅行案内―

2021年３月31日　初版発行

著　者　要木　純一
発　行　今井印刷株式会社
〒683-0103　鳥取県米子市富益町８
TEL 0859-28-5551　FAX 0859-48-2058
http://www.imaibp.co.jp
発　売　今井出版
印　刷　今井印刷株式会社
製　本　日宝綜合製本株式会社

ISBN 978-4-86611-232-9

『山陰研究ブックレット』刊行のことば

山陰は人口減少時代を一歩先に経験しながら、そこには豊かな自然と誇るべき文化、経済、社会が生きています。島根大学では多くの教員がこの山陰地域の研究に取り組んでいます。2004年に発足した法文学部山陰研究センターは、地方文化の創造、地域社会の文化水準と生活水準の向上に寄与することを願って、山陰地域の文化・教育・経済・社会・自然などの諸問題についての研究を推進し、大学内外の研究者によって構成された山陰研究プロジェクトによる共同研究も行っています。

かつて島根大学では開学十周年事業として作られた山陰文化研究所により「山陰文化シリーズ」が企画され、多くの人に愛読されてきました。このよき伝統を引き継ぎ、発展させることを意図し、山陰研究センターにおいても、共同研究の成果を広く地域社会の共有財産とすることによって、地域社会の生活と文化をより豊かにすることを目指しています。このため、分かりやすく、興味深い内容の単行本として、「山陰研究シリーズ」４冊の刊行を実現してきましたが、これに引き続き「山陰研究ブックレット」を刊行していく計画を立てました。

昨今の出版事業の厳しい中、少部数発行の地方出版のこととて、その前途には険しいものがあります。それだけに、読者の皆様には各方面で本ブックレットを紹介し活用していただくなど、格別のご理解とご協力を得て、所期の目的を達成したいと思っています。

2012年３月